くちぶえサンドイッチ

松浦弥太郎随筆集

松浦弥太郎

JN282940

集英社文庫

まえがきの歌

いちにちいちにち
しあわせで
あるために

いちにちいちにち
ふるい方法を壊し
あたらしい方法を工夫した

いちにちいちにち
書きたいことを
書くために

いちにちいちにち
自分の顔を
じっと見つめた

いちにちいちにち
わがままに
気ままに
丁寧に

いちにちいちにち
人に本気になった

いちにちいちにち
自由を求めて

いちにちいちにち
何かを克服しようとした

そして

いっさついっさつ
この手で見つけて

いっさついっさつ
言葉をかけて

いっさついっさつ
この手で並べて

いっさついっさつ
この手で人へとわたす

いっさついっさつ
この手のあたたかさをこめて

いっさついっさつ
選んでくれてありがとうと言った

いちにちいちにちといっさついっさつ

こうして

この本ができました

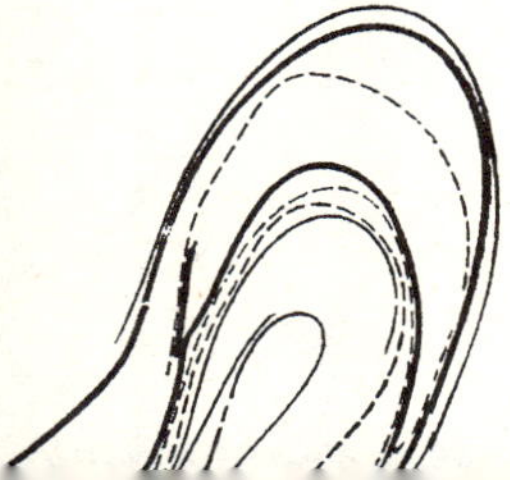

もくじ

2

見つめあったサンフランシスコ —— 99

5

デザイン　立花文穂

1

いつもの眩しい朝

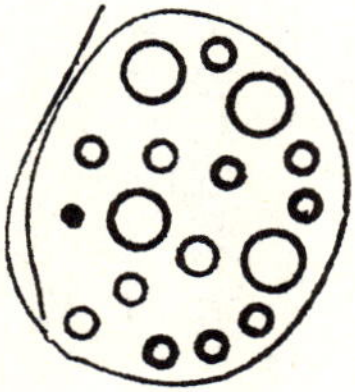

はじめての人

ある時期ぼくは学校にも行かず、毎日、近所にあった喫茶店で、コーヒー片手に古本屋で手にいれた文庫を何時間も読み耽《ふけ》り、過ぎていく時間をただ眺めているような生活をしていた。しかし、本を読むことだけは、自分の隅々に浸透させるかのごとく、どんな小さな言葉も逃さないように夢中になった。今までの人生で一番、本を読んでいたのがこの頃だった。十七歳の夏。

「何を読んでいるの」

ある日、一人の女性がぼくに声をかけてきた。その人はそこの喫茶店の主人の妹さんで、ぼくにとっては、なんとなく顔だけを知っている人だった。

「いや、別に……」

ぼくは読んでいる文庫を見られるのを、恥ずかしく思い、横の椅子《いす》に表紙を下にして置いた。

「ねえ、あそこの新しい古本屋知ってる?」

「え、どこですか？」

当時から、古本屋に行くことが、日々の楽しみだったぼくは、すぐその言葉に反応した。

「チラシがあるから見せるわ」

その人はトートバッグから折りたたまれた一枚のチラシを取り出し、ぼくに渡した。見ると、喫茶店から線路沿いに五分くらい歩いた場所に一軒の古本屋が開店したことが知らせてあった。

「いや、知りませんでした……」

「行ってみない？　一緒に行こうよ」

これが、その人とぼくの出会いだった。

モーツァルト、ラディッシュという野菜、ジョージア・オキーフが描く花、鳥取砂丘、イサム・ノグチの彫刻、アイリッシュコーヒー、手作りのドレッシング、オートミールの作り方、東京都庭園美術館のアールデコ建築、古本市の流し方、蕎麦《そば》屋でのひととき、千疋屋のフルーツサンド、浴衣の着付け、ブレッドアンドバターという皿の呼び名、さわりあうこと、中村屋のチキンカレー、浅草散歩、ピーター・マックスのデザイン、ラッセル・ライトの食器、谷内六郎の言葉、プラハの街並み、人を信じるということ、ピーナッツ・コミック、ネイティブアメリカンの教え、植草甚一、誰かを好きになるということ、岡本太郎のまなざし、Topsのチョコレートケーキ、無駄の大切さ、ファインアートの買い方、贅沢《ぜいたく》と節約の仕方、間接照明の光、嘘《うそ》、一澤帆布の手提げかばん、さっぽろ、『暮しの手帖』の読み所、お茶のいれ方、セックス、ヘミングウェイの『老人と海』、旅の決意、病院の選び方、本当の中華料理、パスタの種類、麻布十番、フィンセント・ファン・ゴッホの人生、横浜散歩、家族との関係、アルフォンス・ミュシャのポスター、夜通しのキス、感謝の仕方、エミール・ガレのガラス工芸、フランス語のアクセント、手紙の書き方、ヒッチコック、雲の名前、自由なアメリカ、現代詩の作家、あきらめないこと、窓の拭《ふ》き方、反対色の存在、石の名前、さよならの仕方……。

ここに書き出したことは、その人から教えられたほんの一部。そして、そのすべてがぼくにとって、はじめてのことばかりだった。

「ねえ、これ知ってる？」

「あそこに行ってみようよ」

「これいいね」

「やっと、見つけた！」

「あのさあ」

「悲しいね」

「やっぱり……」

「これはどう？」

「うんうん」

「うれしいね」


「はじめて」を誰かと共有する。誰かと楽しむ。とても大切なことのように思う。そして、そんな「はじめて」は、どんなに歳をとっても失うことはない、とぼくは信じている。

「はじめて」のこと。それは今も、ぼくの心の支えでもある。

「行ってみない？　一緒に行こうよ」

たくさんの「はじめて」は、この一言からはじまった……。そのはじまりの延長線上に今のぼくがいる。

雨の降る今日ぼくが祈ること

清く生きることを捨ててしまった彼女のわがままは、まるで大風のようでした。彼女が持たされた運命があまりにも重く苦しいものだったからです。

一生背負わなくてはいけない病。不遇な家庭環境。彼女の二十年そこそこの人生は、一歩踏み外せばすぐさま真っ暗闇《くらやみ》に落ちる細い線の上を歩くようであり、氷の上をいつまでも裸足で歩いてきたような道だったのです。

ぼくが出会った頃の彼女は、毎日、見ず知らずの人と肌をあわせ、家には帰らず、ただ流れる時に身をまかせるすさんだ生活をしていました。

「あの記憶を消したいの」

小学生のとき、彼女がある教師から受けた性的暴力の傷跡はあまりにも深かったのでした。

「わたしは明日死んでしまうかもしれない病気。だから、その前に、あのけがれだけは消したいの」

彼女はセックスを重ねることで、そのけがれが少しでも薄まっていくと信じていたのです。愛もなく歓びもなく、ただただ火には火を持って、という思いでしかなかったのです。しかも、彼女の容姿は美しかった。その透き通った瞳《ひとみ》は、男性なら誰しもが心を奪われるものがありました。あたかも、その行為を後押しするかのように。

口が重い彼女がどうしてぼくにそのすべてを話してくれたのかわかりません。しかし、今彼女を抱きしめることのできないぼくに何ができるのでしょう。ただひとつだけ言えたのは「それが君の運命なら、ぼくとこうして出会ったことも運命のひとつ」という言葉だけでした。

小さな動物や小さな自然を前にすると、春のひなたに咲いた花のような笑顔をみせる君。素直で純粋すぎるから自分の運命と闘いすぎてしまう君。ぼくは生きることをあきらめてもらいたくなかった。自分をこれ以上傷つけてもらいたくなかった。言葉にしたかったことは山ほどありました。けれど、言葉にすればするほど彼女の生きるちからをなくしてしまいそうに思えて仕方なかったのです。あのすさんだ毎日は自分の運命に屈することなく、その手で新しい運命を作り上げようとする彼女の生きる方法だったのです。彼女のいのちに正しいちからを。ぼくにはそう祈るしかできませんでした。

これから先、もし彼女に新しい運命が与えられるのならぼくは祈る。誰かが彼女を愛するとか、味方するとか、幸せにするとか、そういうことではなく、この大きな宇宙という存在に彼女を愛してもらいたい。何ひとつ、彼女はけがれてなかったし、心はあんなにも美しかったのだから。そして、神様が本当にいるのであれば、運命というそのちからを見せてもらいたい。ぼくは彼女の笑顔にもう一度会いたい。ぼくにとって、この社会で清潔といわれるものの百万倍、彼女の言葉や笑顔のほうが清潔に思えるのです。

これを書いている今日、どうしてこんなに雨が降るのだろう。

一緒の時間

おしりのちょっと上。そう、ちょうど腰の一番へこんでいるすべすべしているあたり。彼女はそこを指でさわるのが大好きでした。柔らかな風がそよぐ風景を一緒に歩いていると、そっとシャツの下から手を滑り込ませ、歩くたびに躍動するぼくの背骨をさわっては「すごいね、生きてる」と小さな笑顔を浮かべるのです。そうやって彼女のてのひらがぼくの腰に置かれると、何も話さなくても、どこかでお互いの気持ちがつながっているような安心感が生まれるのです。彼女はぼくの身体のリズムをその手で感じ、ぼくは彼女の手からまるで生まれたばかりの小猫のてのひらのようなあたたかさを感じるのです。

そうして歩いていると、どこまでもどこまでも歩いていけそうに思えたのです。歩いて歩いて、夕焼けが空をきんとん色に染める頃になると、二人は一日のはかなさを知り、今日という長くて静かな夜を一緒になって知るのでした。

「あのさ、好きな食べ物って何？」

ぼくが彼女に初めて出会ったときの言葉。そんな質問をしたぼくもぼくですが、それに答えた彼女の返事も負けず劣らずのもの。たった一言「ない」。ポツリとですがはっきりとそう言ってぼくを驚かせた彼女。ぼくと彼女は、あるワークショップで出会いました。「ここに来たきっかけは？」とぼくが聞くと、彼女はポツリと「ノーコメント」。ぼくと目をあわせようともせず、そう答え、そっぽを向きました。参加者の中で最年少だった彼女は、その日、誰とも打ち解けようとせず、ただその場にいるだけでした。

桜が満開だった次の日、親睦《しんぼく》を深めるという名目で、ワークショップの参加者みんなでカレーを食べに行くことになりました。向かったのは辛くて美味しいと評判のカレー屋さん。みんなが席につき、さあて、何を食べようかな、とメニューを手にしたとき、ぼくは隣に彼女が座っているのに気づきました。「カレー好き？」コクリと頷《うなず》く。「辛いの好き？」今度は首を横に二回振る。「じゃ、ぼくと一緒だ」

そう言うと彼女は初めて笑いました。そんな風だから、ぼくと彼女はその店で一番辛くないカレーを頼み、ゆっくり一緒に食べました。そして、二人は目の前に置かれた水差しから水を何杯もおかわりしました。水差しはあっという間にカラになり、「すごいな、ぼくらが全部飲んだよ」と言うと、彼女はまた小さく笑いました。ぼくはそのとき、かわいいなと思いました。

一緒になって何かを考えたり、思ってみたり、感じたりしたことを、手を使ってカタチにするという作業がそのワークショップの目的でした。その毎日はとても充実した時間で、それぞれが自分と向きあえたいい経験だったと思います。そんな中、ぼくは彼女にこう聞いたことがあります。「今、何が一番欲しい？」

彼女は初めて言葉を返してきました。「自信」。そんな彼女でしたが、ぼくの心配をよそに、毎日遅刻もせずワークショップに出席し、少しずつですが他の参加者とも仲良くなり、最後には、ほのぼのとした雰囲気を見せ、ぼくをうれしく思わせるのでした。

朝のひなたが広がった真っ白なシーツの上、裸で寝そべったぼくの腰の一番へこんだあたりをさわりながら、彼女はこう言うのです。

「好きな人と一緒にいられる自分ってすごい自信かも。こうやってさわっていると一緒の時間を生きてるってすごく感じるの」

「カレー美味しかったね。サラダに入っていたイチゴが真っ赤でかわいくて……」

ぼくは心地良さで半分寝てしまった頭でウンと頷きました。彼女はおしりのちょっと上。そう、ちょうど腰の一番へこんでいるすべすべしているあたりをさわるのが大好きでした。

キラキラがなくなった日

　ある日曜日、彼女と昼寝をしていて目が覚めたら、もう夕方だった。「ちぇ、またか」と思い、一人窓の外を見て、ぼんやりしていたら、何かおかしいことに気がついた。いやな予感というか、心がざわざわする感じ。さっきまであったものがなくなっているような……。ぼくははっとして寝ている彼女を見た。そして、自分を鏡に映して見た。ない、なくなっている！

　キラキラがなくなっている……。なんにもキラキラしていない……。

　バイトもせず何もしない毎日を過ごしていても、昼間から彼女とエッチしていても、髪がボサボサでも、人に嘘をついたときでも、あのキラキラがあれば安心だった。わくわくするようなどきどきするような、あのキラキラした感じ。なんでも明るく照らしてくれたキラキラな輝き。ぼくは「落ち着け落ち着け」と自分に言い聞かせ服を着た。そのとき、ちょっと前に「これからどうするの？」と彼女に聞かれ、答えられなかった自分をふと思い出した。

　次の日、キラキラを失ったぼくは公園のベンチに座っていた。どのくらい座っていたかわからないが、ぼくはずっとキラキラがどんなものだったか思い出そうとしていた。このままではそれすら忘れてしまいそうでこわかった。あの日から少しずつキラキラの記憶が薄れていくのをぼくは感じていた。「キラキラってどんな感じですか？」目の前を通り過ぎる人にぼくは聞きたかった。

いつの間にか、日は暮れて、夕焼けが街の景色を赤く染めていく。夕焼けを見るのは久しぶりだな。夕焼けってこんなにきれいだったっけ。青い空を見上げると小さな星がひとつ光っていた。ぼくは大きく息を吸った。そして、吐いた。立ち上がって、もう一度、空を見上げた。ビルの向こうに大きなお月さんがあった。ぼくはちょっとうれしくなった。今一人だけど一人でないあたたかさがそこにはあった。あれ？　どこかからギターの音色が聞こえる。

その日以来、ぼくは毎日あの公園に行っていた。実を言うと、なくなったキラキラのことはもうどうでもよくなっていた。そんなことより、夕方このベンチに座っていると聞こえてくる、あのギターの音色に今のぼくは夢中だった。最初は音の新鮮さがあって気がつかなかったけれど、耳をすませると、なんとも下手っぴいなギターだった。だけど、毎日聞いていると少しずつ上手くなっていくのがわかった。昨日ぎこちなかったフレーズが今日はなめらかだったりするからだ。

で、一曲、上手に弾けたときにはうれしくて思わず拍手をしてしまったり。が、そんなことはまれ。なんせ下手っぴいなのだ。曲は誰もが知ってるビートルズの「ノルウェーの森」。つまずくとエヘンとせきばらいするのがクセで、あ、弾いているのは女の人なんだ、とわかった。そんなエヘンのたび、ぼくの胸はドキドキした。なんとなく。

新しい日曜日が来た。キラキラがなくなったあの日からぼくはずっと一人で過ごしている。そんなわけで彼女からは連絡が途絶えた。まあいいや、別に。日々の過ごし方もなんだか丁寧になったおかげで、いろんなものが去ってスッキリ軽くなった。ということで、今朝の目覚めもとびきり爽快《そうかい》。夜はさみしいけれど朝は一人のほうが絶対いい。朝のブリッジも気がねなくできるし。

ぼくは思った。なんだか、今日はすべてがぴかぴかしていてまぶしいな。うん、キラキラもいいけどぴかぴかも心地いい。何より、ぴかぴかのほうがまぶしくて清潔感がある。何がそうしたのかわからないが、あの日をきっかけに、ジャブジャブ洗われて、ぴかぴかになった新しいぼくがここにいる。そして、いろんなことをもう一度やり直してみようと思うぼくがいる。それがぼくの「これから」だ。

いつもより百倍のカレー

料理が好きだった彼女のマンションは代官山の高台にあり、二階にもかかわらず大きな窓から広くて長い空が仰げるところだった。広い縦長のワンルームにそよ風が直線で抜けるさまは目に見えるようで、そこに置かれたパインテーブルを囲んで食事をしたり、お茶を飲んだり、本を読んだりするのは言葉や文章で伝えられないうれしさがあった。そして、すぐ脇《わき》に置かれた小さなステレオからは、いつも彼女のお気に入りの音楽がわずかなボリュームで鳴っていた。その頃、ぼくはザ・バンドやニール・ヤング、もしくはイギリスのトラフィックやブラッド・スエット&ティアーズなどを聴いていて、そこで鳴っていた音楽が自分の領域ではないことは知っていたが、ある日、悲しげながらグルーヴ感溢《あふ》れたメロディー、それに乗った甘いヴォーカルに耳をとられて、「これなあに」と聞いたときのパッと明かりのついたような彼女の笑顔はいまだに忘れられない。

「シュガー・マイノットっていうの」

「ふーん、いいね」

「ほんと！　うれしい！」

普段、二人の間に音楽の共通点はなく、互いの家でかける音楽はその家主が決めるという暗黙の了解があった。

「美味しいもの作るね」

そう言ってキッチンに立つこと二時間。料理好きといっても、時間をかけることをよしとしない彼女にとって珍しいことだった。

黄金色の夕焼けがいつしか青い夜空に変わった頃、盛りつけられたプレートが食卓に並んだ。何か珍しいものが出てくるかと思ったが意外にもそれは二人の大好きなカレーライスだった。

「いつもより百倍美味しいはずよ」

そう言って彼女はワインにオープナーを「エイ」と差しながら言葉を続けた。

「ロックステディってラブソングなんだよね……」

sweet noon

大好き。

ぼくはそうっとやさしく彼女の手を握っていた。
ぼくの手の中の彼女の手に力がはいる。

もっと……

今彼女はキッチンに立っている。

真っ白な素足。

身体から小さな声が出た。
のけぞると窓のすきまから、
白く柔らかな薄い雲が青空に舞い上がっていくのが見えた。

ぼくは目を閉じてさすらった。
甘くていい匂いをなめる。

彼女は溶けてしまった。

猫になりたい

「一日でいいから猫になりたい」ウチに泊まって一週間になる彼女は、冷めたカフェオレボウルを両手に持ったままベランダを向いてこう言った。そして、ぺろりと上くちびるをなめた。

友人の紹介で知った彼女は、そのとき、付き合っていた男と一緒だった。二人は一見、仲良さそうであったが、ぼくにはこの二人の間に一枚うすいへだたりがあるように感じた。それからというもの、彼女とぼくは方々で偶然会うようになった。本屋とかコンビニとか。一番びっくりしたのは牛丼屋だった。

「ねえ、あなたのウチに行ってもいい?」ある日、突然、道端で彼女はぼくに言った。ぼくは困った。部屋は汚くて狭いし、トイレだってここ数日掃除していない。エッチな本もそこらに置いてある。とにかく、うれしいけど困ったという状況だ。「いいけど、ちょっと片づけてくるから、どこかで待ってて」「うん。じゃあ本屋で待ってるね」ぼくはウチに戻り、彼女は駅前の本屋に向かった。

とりあえず、エッチなものは見えないところに片づけ、生ゴミやペットボトルなどをまとめて袋につめて外に運んだ。そして、ベッドをきれいにした。

その日から彼女はぼくのウチに泊まり始めた。ベッドの中でぼくは聞いた。「あのときの彼氏は？」「にゃあ」「もう別れたの？」「にゃあにゃあ」

彼女はベッドの横に積み重なった本のはしっこを指で遊びながら言った。「もう、いいのか」

ぼくは彼女の返事からそんな風に思い、やせて、小さな身体をした彼女を抱いた。彼女の手は柔らかく冷たかった。そして、舌はすごくなめらかだった。声は小さかった。

彼女は小さく丸くなって寝る。まるで猫のようだ。放っておけばいつまでもそのまま寝ていた。ぼくはそんな彼女を愛おしく思った。どこから来たのかわからない彼女。いつまでここにいるかわからない彼女。「わたしのことは気にしないで」「そういうわけにはいかないよ」「にゃあ」「学校とかバイトは」「にゃあにゃあ」

ある日、彼女はいなくなった。ぼくがバイトに出かけて帰ってきたらいなかったのだ。最初はどこか散歩にでも出かけているだけと思ったが、それっきり帰ってこなかった。

「わたし猫になっちゃった」その朝、ベッドの中でうすく目をあけた彼女が最後に言った言葉だった。ぼくは本当に彼女が猫になってしまったと思った。不思議と悲しくもなかった。

真っ赤なゴブレット

オレンジ色の陽射しが部屋いっぱいを照らしたある午後。ぼうっとキッチンを眺めていたら、ある料理家の言葉を思い出した。「キッチンには色があったほうが美味しいものが作れるような気がする」

さて、ウチのキッチンはどうだろう。そこにあるのは、何もかも、うすく輝くシルバー色したモノや道具ばかり。色の少ない食器が好みなので、全体がよりいっそう冷たい景色に見えてくる。ぼくはそばにいた恋人に聞いてみた。

「あのさあ、ウチのキッチンって色気ないよなあ」

「うーん、でも、けっこう使いやすいよ」

「せめて、食器に色があると変わるかもなあ。ほら、フランスでよく使われているような色がカラフルなやつとか」

「ほんと！　欲しい。選びに行こう。今すぐ！」

恋人は食器のハナシに目を一気に輝かせて、すぐに出かける支度を始めた。

結局、ぼくらは悩んだあげくゴブレットのセットを買うことにした。恋人が選んだ色は意外にも赤だった。

「ほんとに赤でいいの？」

他の色でもいいと思ったぼくがそう聞いても、恋人は頑として赤がいいと言って聞かなかった。そして、「わたしはこれを一生大事に使うわ」と、ぼくにその年一番の笑顔を見せた。

さて、その後、赤いゴブレットはウチのキッチンに置かれ、そこに見違えるようなあたたかさと色気を生み出した。ひとつはその日の帰りに買った白いデイジーを一輪飾ってリビングに置かれた。自然色で統一していた部屋全体に赤が一色あるだけで、景色やぬくもりだけでなく、そこを通る風の香りさえ変えるようだった。なるほどなあ。ぼくは色の使い方を少しだけ知ったように思った。恋人は言った。「やっぱり、部屋に赤があるといいね」「なんで？」「そのほうがエッチじゃん」

赤を生活に取り入れること。

あたたかさと、ぬくもりのあるにぎやかさ、そして、エッチ。恋人はクスっと笑った。

大好きな毛布

　ぼくはその人とあたたまりたかった。二人きりであたたまりたかった。あまりの心地良さにすうっと眠りに誘われても、このままずっと起きていたいと思うくらい二人で丸くなっていたり。その人のいい匂いのする髪にいつまでも顔をうずめていたり。心も身体も裸ん坊になってぴったりくっついていたい。旅先で出会ったあの景色やあの出来事のことをポツリと話したり、うれしかったことや悲しかったことをちょっとずつ聞いてもらったり。その人は何が好きで何が嫌いなのか少しでいいから聞いてみたい。そのくちびるを指でそっとさわってみたい。ぼくがニコッとすればその人もニコッと微笑む。ぼくが息をすればその人も息をする。時折、ぎゅうと抱きしめたり大きく伸びてみたり、指や足を絡めあってみたり。そんな風にただ静かにお互いをあたためあいたかった。

　クリスマスの日に毛布を買いました。羊毛一〇〇％でクイーンサイズのとってもも大きな毛布です。その人は「大きすぎるよ」と笑いました。赤と緑があざやかなネイティブアメリカン柄のずっしり重たい毛布でした。二人でくるまるんだから、大きくて、荒野の砂漠であってもそれ一枚で「あったかいね」と言えるくらいの毛布が欲しかったのです。クリスマスの夜に、ぼくはその人とこの毛布にくるまってあたたまりたかったのです。

それから七年経ちました。

毎年クリスマスの夜になると、ぼくとその人は毛布にくるまります。初めてあたためあったときと同じように裸ん坊になってエイとくるまります。そして「あったかいね」とニコリ。いろいろあったけど七年間同じようにそうしてきました。でも、今はひとつだけ違うことがあります。いつしか小さいのが一人増えて毛布の中身は三人になったのです。その小さいのは毛布の中で暴れて仕方がありません。しかしこの毛布は大きいので全然大丈夫。クイーンサイズってほんとに大きいのです。ぼくはこの毛布が大好きです。すごく大好きです。一生大事にしようと思うくらい大好きです。見てると涙が出るくらい大好きなのです。

いつもの眩しい朝

「雨後の月　ほどよく濡《ぬ》れし屋根瓦の　そのところどころ光るかなしさ」
ご存知、石川啄木が詠《うた》った『一握の砂』。そんな窓の景色に目をやりながら、ブルーからオレンジ、そして黄金色と移り変わる暁を一人迎え、本のページを閉じた。

そのときを待っていたかのようにぼくはソファーから立ち上がり、ベランダ全部の窓を開け、リビングに新しい空気を迎え入れる。ひやりとした風がそよそよと入ってくる。一晩中、縮こまっていたから身体をグーンと伸ばしの深呼吸。少しずつ身体と気分が新しくなっていく。

さて、始めよう。サンフランシスコの友人が送ってくれる『peets』のコーヒー豆。その感触を楽しむようにガリガリと挽《ひ》く。いい香り。真っ白なペーパーフィルターを丁寧に折る。アメリカから持ち帰ったお気に入りのホーローヤカン。それでミネラルウォーターを沸かす。ベランダが騒がしい。「ごめんごめん、忘れてた」食パンをちぎって、小皿に盛りつけベランダに持っていく。いつものすずめが勢揃《せいぞろ》いで朝食。今度は台所で湯気とフタがデュエットだ。はいはいはい。そういえば、小さいとき、母親に「返事はひとつ!!」と叱《しか》られたっけな。コンロからヤカンをはずし、コーヒー豆とフィルターをセットしたポットに湯気と一緒にお湯をゆっくりもくもくと注ぐ。豆がシフォンケーキのようにふくらむふくらむ。リビングにあのバークレーの香りが広がっていく。ここまでくると、窓の外も部屋も一旦《いったん》は静かになる。時間を感じさせないこのひととき。一晩待ったかいがある。自分用のマグカップにコーヒーを半分ちょっと注ぎ、そこに冷蔵庫から取り出した牛乳をドボドボと。シュガーは入れない。新聞はもう来てるかな。できる限り静かに歩いて、玄関ポストからそーっと新聞を取り出す。ポストのフタが「カタン」と鳴った。再び、すり足でリビングに戻る。朝の風でカーテンが柔らかく揺れている。丁度よくぬるくなったコーヒー。いちじくとレーズン、アプリコットのドライフルーツ。昨日買った関口ベーカリーのパン。朝刊。テーブルにすべてが揃った。大空は青々と色があでやかになり、真っ白な陽射しがリビングを斜めに照らし始める。

ぼくはテーブルに座り、大きく新聞を広げる。コーヒーを片手にパンをかじる。パンがポロポロと床に落ちたってかまわない。エイッと行儀悪く足をもうひとつの椅子に乗っけて踏んぞりかえる。座ったまま、もう一度両手を上に伸びをする。首を回したり、あくびをしたりと、やりたい放題。ぼくの一人きりで至福でとびきりの朝。

そんな風に一人いい気分でいたら「おはようさん」と声がした。とうとう家人が起きてしまった。ぼくの時間はもう終《しま》いだ。ぼくが散らかした台所にため息をつかれ、洗濯機に水を注ぎ始める。あっちからもこっちからも騒がしくなる。娘が大声で何かを叫びながら体当たりしてきた。

「今日も元気だね……」
ぼくは一人静かにテーブルを片づけ、顔を洗い、洋服に着替える。

「また起きてたのね」
「うん、本読んでた」
「何読んでたの」
「石川啄木」
「古いね」
「うん」
「このコーヒーもらうね」
「うん」
「いつもおいしいね」
「うん」

いつも通りの何も変わらない朝。ベランダのすずめはとっくに出かけたようだ。さて、ぼくも仕事に行こう。窓の外にはいつもの眩《まぶ》しい朝がキラキラと。

何をしよう、どこに行こう

大好きなS&Gを聴いたり、ギターを弾いたり、
遠い景色を見たり、小さな旅をしたり、
何かを選んだり、何かを探したり、
本を読んだり、手紙を書いたり、
一生懸命料理を作ったり、それを食べたり、
他愛ないことを話したり、聞いたり、
歌を唄ったり、くちぶえを吹いたり、
助けたり、助けられたり、
わがままを言ったり、わがままを受け入れたり、
作ってこわして、また作ったり、
グチや弱音を言ったり、それを聞いてみたり、
嘘をついたり、嘘をつかれたり、
退屈したり、夢中になったり、
昔のことを思い出したり、今日を思ったり、
忘れたり、忘れられたり、

秘密をつくったり、打ち明けたり、
ぼんやりしたり、ごろごろしたり、
さわったり、さわられたり、
辛かったり、うれしかったり、
怒ってみたり、褒めてみたり、
どきどきしたり、どきどきされたり、
涙を流したり、笑ったり、
抱きしめたり、抱かれたり、

近づいたり、離れたりするけど、
決して心は別れない。

何もしない、どこにも行かなくても、
一緒にいることが当たり前な関係でありたい。

そういう当たり前な友達でありたい。
そういう当たり前な家族でありたい。

萬緑で思う

真夏の太陽の照りきわまった下、耳を澄ませば聞こえる葉っぱのそよぐ音。今日も半ズボンをはいた風が萬緑《ばんりょく》へとぼくを誘いにきました。大きな樹の下、広々とした木陰に腰を下ろし、素足を大空に放り投げる。のんびりゆっくりした午後の休息。ぼくは樹にもたれ、かぐわしい香りを持ってやってくるそよ風に包まれながら傍《かたわ》らに持ったギターを抱き、高い空を仰ぐのです。

ギターの練習を始めて二カ月が経ちました。とにかく毎日、朝から晩までギターを弾いています。そして、一日中、ギターのことばかり考えています。たとえれば、ある日、突然、誰かを好きになってしまい、何も手につかず、胸が苦しくなる感じに近いでしょう。大好きで大好きで仕方がない。こっちを振り向いてもらいたいがため一生懸命になる。だけど、そう簡単にはこっちを振り向いてはくれません。でも、いつか自分を必要としてくれるときが来るのを信じて思い続ける。今のぼくはまさにギターに片思いです。毎日毎日、練習しても全然思い通りに弾けるようにならないもどかしさ。でも、たまに、ちょっとだけこっちを振り向いてくれるときがあるように、弾けなかったフレーズや音が自分のものになるときがあります。そんな小さな喜びを日々、積み重ねているのです。

アメリカを転々と旅していた頃、ただ遠い地に来てしまったという思いだけで、そこで何も目的や希望を見つけられないときほど、ひどく孤独を感じ、辛いことはありませんでした。そんな地面を舐《な》める生活におぼれていたとき、いつも傍らであたたかくちからになってくれたのは友人や恋人、そしてジェームス・テイラーの「You've Got A Friend」。ぼくの大好きな歌です。この歌に幾度励まされ、助けられたでしょうか。いわば、ぼくにとっていのちの恩人なる歌です。

はかない思いですが、ぼくは一生の間にこの歌だけはギターで弾けるようになりたい。ギターの神様、この「You've Got A Friend」一曲だけで良いです。いつかぼくが弾けるようになるよう見守っていてください。

あの時、あの場所、あの人のために、どうしても弾きたいのです。

毎日何かを十年

今朝、見上げれば空がうんと高いところまで澄みきっていて、乾いた水色に白く筆をこすったような模様に見とれて思わずぼうっとしてしまいました。秋冷にさらされた裸の指先をポケットの中でくしゃくしゃと動かして眩しい街中を今日も歩いていきます。なるたけ急がずゆっくりと。

先日読んだ、吉本隆明氏の言葉はぼくの身体にすっと染み入りました。氏の言葉や文章は少しだけ深いところにある感じがして、まだぼくの手は届きそうもなく、普段なかなかページをめくることはありませんでした。しかし、ほんとのことを言ってくれる大人の一人だってことは知っていて、少しずつ近寄っていきたい存在でもあります。糸井重里さんの言葉に「Only is not lonely」というのがあります。まさに氏のための名言。いい言葉だな。力になるな。

「とにかく、毎日（一生懸命でなくても）十年続けたらものになるんだ」これを読んだとき、胸に大砲を打たれました。自分がこれはもしや長所かもと思うことがあったら、それだけを考えて十年毎日やってみる。毎日ってことが大事なんだ。そこにうなずきます。ぼくも本屋を始めて知らず知らずに十年が過ぎ、ああ、確かになんだかんだとあっちこっちウロウロしながらも毎日続けてきたなとじんわりと思うところがあります。そして、ギターだってそうです。これは長所かどうかわからないけれど、手にしたときから毎日弾いています。それだけは嘘ではありません。氏はこうも言います。「毎日はかけ算になる」たとえば、昨日より今日が二倍うまくなったとしよう、もしくは得たとしよう。で、明日もやる。すると二×二の四倍。また次の日もやれば二倍の八になる。うーん、なるほど。しかし、それが毎日でなく間があいてしまうと足し算になってしまうらしい。かけ算も足し算も一見そうは変わらないが、長くやればやるほど全然違ってくるのです。毎日何かを十年。

今、ぼくにとってその途中にあることは「文章を書くこと」と「ギター」です。素質があろうとなかろうと、今のところどちらも毎日やっています。間違いなくかけ算は続いていています。ぼくは単純だからこの言葉でいっそう拍車がかかってしまいました。根本のところはもっと深い精神性があるのでしょうが、要は「毎日やるかやらないか」だと思うのです。途切れたら足し算になってしまうから、無理しないでとりあえず今日もサクッとやっとく。気が向けば集中してみる。行儀が悪くてもいいさ。不まじめでもいいさ。んな感じなのです。

こんな風に十年っていうと、とんでもなく努力しろって言われてるようだけど、そうじゃないんです。努力ではなくて、ぼうっとしててもいいから毎日を十年続けるってことなのです。そう思ったら忘れた頃には十年経っていて、何かひとつくらいは誰にも負けない自分がいる。

まあ、少なからず本屋と名乗って十年以上、毎日を続けてきたぼくでさえ一人前。この法則というか考えは本当だと思います。でもゴールが十年ってわけではありません。一人前になればなったでそこから新しく始まる道も続くのです。そう思うとほんとに毎日が大事です。まずは毎日を十年、そう思うと明日がメチャ楽しみです。

未来への手紙

　知春花。なんて素敵な言葉なのでしょう。知春花、春を知る花の呼び名です。みなさんにとっての知春花はなんでしょうか。桃でしょうか、梅でしょうか。なんだか遠い春の風景が目に浮かんできました。

　知春花。なぜこの言葉に気が向いたかというと、ふと手帳をパラパラと見ていたら、小さなページに書きなぐったたくさんの文字の中に埋まるようにそこにあって、ひょいとその言葉を拾い上げた次第です。

　物書きだからというわけではありませんが、ぼくはいつでもペンと紙がないと落ち着かない性分で、手帳を肌身離さず持ち歩く習慣があります。言ってみれば、煙草呑《の》みにとっての煙草とでも言いましょうか。煙草がないと落ち着かないでしょう。あの感じです。で、まさにちょっと一服というようにポケットから手帳をサッと取り出し、とりとめのないことをカリカリ、ときにはグニャグニャ、ワシワシと書き留めるのです。ほとんどが落書きです。なので、今日のように古い手帳をパラパラしてみると、忘れかけていた言葉や一文にハッとさせられることがしばしばあるのです。うわあ、とビックリしたり、顔を赤くしたり。何が出てくるかわかりませんから、そーっと恐る恐るページを開くのが本当のところです。古い手帳を開くというのは、それだけ不思議な期待に心躍らせるものなのです。

あるページの真ん中には「二時（月）」とだけ書いてあります。これは一体なんなのでしょう。かなり興味をそそられます。もうひとつ、「自分は今どこにいるのか、ペンシルバニア」。これ、赤ペンで書いております。うーん。

さて、つい先日届いた、ロンドンの友人から定期的に送られてくるビックリ箱（何が入っているかまったく不明のため、このように呼んでいる）の中に、久々に小鼻が膨らむほどうれしいものが入っていました。それは「sukie」というロンドンの若いアーティストが廃紙を再利用して作った三冊の手帳でした。そのうち一冊のカバーには「travel journal」と書いてあります。「トラベルジャーナル!!」、この言葉だけで夢がぐんと広がります。うれしい。

今、ぼくの手元にある三冊の手帳。早速、この春から使います。そして、こう思いました。この手帳は未来の自分への手紙でもあるんだ。真新しい手帳。なんだか清々《すがすが》しくてうれしくて広い青空のようだ。

手

身体の中で一番好きなところは、と聞かれれば、ぼくは自分のふたつの手と答えたい。鏡に映る顔や体型は毎日の生活や気持ちが表われるものなので、いいなと思うときがあったり、いやだなと思うときがあったりするけれど、このふたつの手だけは自信がある。自信があると言うと、ならば余程美しい手なのかというと、決してそうではない。水分は本に取られていつも乾燥しているし、指先も傷だらけ。今までだって、土を手にしたり、石に手をはさまれるような仕事を散々してきたので、その関節のでこぼこや表面のしわの感じはさすがに労働者のもの。でも、ぼくは恥ずかしくない。そうしながらも、自分の手を大事にしてきたからだ。毎日の生活や気持ちで身体のいろいろは変わるけれど、手はそれを一番に表わしているように思う。毎日、手をどう使い、何に使うかってこと。で、自分の手を見つめてみれば、今、していることが良いことなのか、そうでないことなのかようくわかる。手はたくさんのことを語ってくれる。たとえば、どんなに身なりが悪かろうと、みんなからダメと言われるような人であっても、その手を見て、ぼくがきれいと思ったら、きっと信用できると思うし、尊敬もできると思う。逆に、とっても身なりがしっかりしている人で、石鹸《せっけん》でどれだけ汚れを洗っても、きれいな手にならない人もたくさんいると思う。だから、ぼくは自分の手を汚れが落ちないような手にはしたくない。そして、毎日、自分の指先、てのひら、手の甲を見つめて、そこにある見えないものをきちんと知れる自分でありたいと思う。

自分の手が一番好きであること。いわば、これはぼくの生活のものさし。そして、ぼくはこのふたつの手に感謝している。この手があればなんでもできる。こうして文字を書くこともできるし、絵を描くこともできる。ギターも弾けるし、ピアノだって弾ける。そして、これからもたくさんの新しいことができて、たくさんのものや、好きな人にさわることもできる。このふたつの手が生み出すことははかりしれない。そう思うと、もっともっと大切にしたいと思うのだ。

好きな人に会いに行くとき、着ていくものを選んだりすると思うが、ぼくの場合、身なりや顔がどうかは、清潔ならいいかと思うくらいで、それより今日の自分の手を気にしてしまう。心の目で見つめてきれいと思えるかどうか。きっとそこまで人は見ないと思うが、今日の手が気に入らないと好きな人には会いたくない。その人とハナシをしたりするということは、その人の心にさわるということでもあるので、実際、自分の手がその人の肌にさわらなくても、自分の手はきれいでありたい。できれば、きれいな手でさわりたい。そのために、毎日まいにちの手の使いようが大切と思う。

そう思うぼくだから、人と会ったとき、どうしてもその人の手を見てしまう。で、その人の手で自分をさわられていいと思えるかどうか。そして、次に見てしまうのがその人の瞳。その瞳で自分を見られてどう思うか。これでその人を判断するのも変だが、正直そういうところが大きい。だから、ぼくも自分のふたつの手をできるだけきれいにと思いながら、人と仕事をし、人と生活をし、人と生きていきたいと思っている。そして、いつでも好きな人に会えるように、自分が好きと思える手を持ち続けていたいと思う。

自分のために働いてくれる手。自分を楽しませてくれる手。好きな人や好きなものをさわることができる手。新しい発見を知らせてくれる手。このふたつの手を持てて本当に幸せだ。このふたつの手は本当に宝物だと思う。

友を想う休日

色とりどりに咲き始めた花々に別れを告げ、悠々とさすらう雲と一緒にあなたは旅立ちました。

ぼくの居る東京に一昨日南風が吹き込みました。H・ヘッセは「景色全体を真っ黒にさえしてしまうフェーンという名の南風が去った後の、あの甘味で暖かさと美しさが繰り返し流れる、人々を眠りに誘うような南風ほど妙な味わいはない。そこに美の極致が訪れる……」とその情景を散文に遺しました。ぼくはこのくだりを友人が向かった旅先に静かに想うのです。

スニーカーを洗いました。何年か前、旅先のニューヨークで見つけたトップサイダーの真っ白いデッキシューズです。売れ残りセールで安かったので同じものを三足も買いました。その最後に残った一足です。バケツに石鹼と水を入れてゴシゴシ、ゴシゴシ。このスニーカーもずいぶんと履いたもんだ。つま先あたりの汚れをブラシでゴシゴシ。なかなか落ちない。もっとゴシゴシ。あまり強くこすると穴が開いてしまうよお。心だって同じ。ソールも洗おう、ゴシゴシゴシゴシ。白いスニーカーは洗っていても汚れが落ちているかわからないよね。涙が流れて仕方がない。塀の上で昼寝する野良猫がさっきからそんなぼくをジッと見つめています。

きれいになったかな。そんな風に思いながらもゴシゴシゴシ。バケツの汚れた水をザーッと流して、きれいで冷たい水に入れ換える。石鹸が落ちるまで今度はザブザブザブン。バケツの中に手を入れ、グルグル回して渦巻きだ。今日は陽射しが気持ちいいから水遊びにはもってこい。一足ずつバケツからジャーッと上にあげて、今度は大きな真っ白いバスタオルに包んでパンパンと丁寧にたたいて水気を吸い取る。もう一足もパンパンパン。タオルを開いて取り出して、カタチを整え手に持って眺める。うん、上出来だ。ひなたに揃えて並べる。また眺める。いい景色。

スニーカーやシャツを洗いながら、ふと選んだ本を読んでみたり、ギターを弾いてみたりするささやかな休日。

いつの間にか、くすんだ気持ちまで陽射しを透かしたシャツみたいに真っ白になりました。

友よ、お元気で。

夏の約束

昨年の夏、東京の恵比寿で二重の虹《にじ》を見た。晴天ではない東京のげんなりとした空に、そのふたつの虹は消えかかっていたが、ぼくの瞳にはまばゆいばかりの七色の曲線が映った。

実は少し前に訪れたサンフランシスコでも目の覚めるほど生彩を放つ素晴らしい二重の虹を見た。「虹だ、二重の虹だぞ」「早く、早く」と騒ぐ子供たちの声が聞こえ、空を仰ぐぼくの胸も高鳴った。

幼い頃、父親の仕事の都合で夏の一カ月間を過ごした新潟の妙高高原でぼくは初めて二重の虹を見た。あまりの美しさにびっくりした記憶は今でも鮮明に残っている。これこそ空前絶後の空中現象だと興奮に震えた。何かの本で読んだが、三重の虹や四重の虹もあるらしい。しかし、ぼくは一度もそれらと出会ったことはない。以来、ぼくにとっての虹といえば、二重の虹であった。

創世記によると虹は人間に贈られた神の約束の象徴とのこと。そんな虹が大きな空を自由自在に跨《また》ぐのは、いつも夏の暑い日だった。夏の約束か。

ぼくはそんな風に久しぶりに二重の虹と出会えたのがすこぶるうれしく、その頃、始まったばかりの連載のタイトルを『レインボウ・サンドイッチ』とつけた。海外の本屋仲間がお気に入りの本を「サンドイッチ」と呼びあうスラングを虹に足したのだ。

「ツラ構えの良い本は美味しいサンドイッチのようだ」そう誰かが云《い》ったか云わぬか、なかなか粋な言葉じゃないか、とぼくは気に入っている。「本にまつわる七色のハナシ」「本から見える虹」など。そんな意味と、そのとき、ぼくが本と交わした小さな約束がタイトルに込められている。

「夏の約束」とは、決して消えることのない大きな愛を意味する言葉。夏の空に虹がかかるたびに、ひとつまたひとつと約束が生まれているのです。

そんな夏がそこまで来ている。

夏近し

抜けた景色に囲まれた原っぱで手足をグンと伸ばしの寝っころがり寝っころがり。晩春初夏の長くてうすい雲々を仰ぎ見て、風の唄を聴くひととき。草の葉の甘い香りが鼻をくすぐり、とのさまバッタとうたたねうたたね。とんぼが一匹、青空に浮く。

碧《あお》、黄、白、緑。
いちばん好きなよっつの色の風景。
碧、黄、白、緑。
好きな色がなかまになりました。

ボタンダウンは、えりを留めるボタンははずし、前のボタンふたつあけ、そでは、いち、に、とふたつ折り。すそはパンツに入れたり出したりと自由でいい。ぜったい素肌に着る。洗い立てのシーツに素肌で飛びこむ感じ。

ブルックスブラザーズのオックスフォードがいいとか、その一つひとつのボタンの位置がいいとか、そのくたり具合とか、えりの大きさとか、長そでではなくてはだめとか、古いのがいいとか。それでなくてはだめなワケがいちいちあります。

せんたくも楽しい。ザブザブと冷たい水で洗ったら、滴《しずく》がしたたるまま両手でえりのあたりを持ってぱんぱんと広げる。そこらじゅうが水びたしになるけどへっちゃらへのかっぱ。木を削って作ったハンガーにそのままかけて、ぴーかんの陽射しに照らします。ポッタンポッタン、水の重みでシャツのしわは伸びていく。お日さんに透かして、ぱたぱたと風に舞うようになれば出来上がり。洗い立てほかほかにそでを通すのは、ごめんなさいというくらいの最高があるのです。

おんなじボタンダウンを三枚持っています。
おんなじ色、おんなじサイズと、何もかもおんなじです。

碧、黄、白、緑。
果てしないまひる、よっつの色。

昨日も、今日も、明日も、
碧、黄、白、緑のボタンダウン。

これを着て、風に吹かれながら好きな人に逢《あ》いにいく。
好きなときに好きなだけ、夢の中でも、毎日でも逢いにいきたい。

夏近し。

ぶらつき所思

サマセット・モームの「中国の屛風《びょうぶ》」という短編作品の中に、中国の小さな寺院を住居にリフォームするイギリス婦人の話がある。彼女は大きな窓に目の覚めるような青いカーテンを取り付け、ピンクのストライプの壁紙を柱に貼《は》り、壁には絵画を、棚にはシルバーフォトフレームを飾り、漆塗りの大きなテーブルを色あざやかなインド更紗《さらさ》で覆う。みるみるうちに、古き東洋の趣とイギリスの伝統美が混ざりあっていくその光景がとても印象的だった。そして、その最後に婦人が思う「屛風が欲しい。それも中国の屛風」という象徴的な美的センス。

こよなく旅を愛し、世界中を歩いたサマセット・モームが二度も足を運んだ、中国での旅のエピソードやスケッチを描いたこの異国情緒な紀行文は、最近、頻繁に足を運ぶ、あるインテリアショップをぶらついて所思《しょし》った具合である。

エスニックではない。たとえば、マルテルのコルドン・ブルーを古伊万里のそば猪口《ちょこ》でいただくような。シニア・サーヴィスを縁側で嗜《たしな》むといったすこぶる自由で洒脱《しゃだつ》な組み合わせ。云うならば、古瀬戸の「馬の目皿」にシーザーサラダを盛りつけたり、フランノのパンツに刺し子が美しい藍《あい》の上着を羽織りたい。そんな伝統工芸に、現代的なエッセンスを注ぐ美意識、新しくてシンプルな組み合わせを、「中国の屛風」から感じたのだった。

結局、何が云いたいのか。

それはルールがないルール、優雅なわがまま、というのを日常生活にちょっと取り入れてみる。それが現代社会においてとびきりに爽快だということなのだ。

ラスクとコーヒー

夕方、表参道に用事があり車で出かけた。

道は混んでいなかったが、暮れのせいかオートバイや車がとても慌ただしい走り方をしていて、また、あちこちでクラクションが鳴ったりするものだから、ゆっくり走っているぼくですら慌てた気分になった。荒《すさ》んだ空気が街を流れる。

すぐに用事が済んだのでどこかに寄り道しようと思った。

クリスマス前だから街中はきらびやか。道行く人も楽しそうに歩いている。ぼくは人恋しい気持ちが湧《わ》き、さてどうしようかなと考えた。といっても、どこにも車は停められないし、でも、やっぱりお腹が空いてきて、ちょっとしたおやつを食べたいような。で、そうだ、と思い、少し遠回りして千駄ヶ谷のサザビーへ行った。フリーペーパー『くちぶえサンドイッチ』を配布していた頃はよく行ったが、最近はすっかりご無沙汰《ぶさた》していた。遠回りといっても車だからすぐのこと。働いている方がいつも清々しいアフタヌーン・ティーベーカリーに行こうと思った。さて何を食べようかと悩む。見ただけではそれがどんなものなのかわからないけれど、あれもこれもと食べたくなるメニュウがたくさんある。しかし、今、ここでたくさん食べてしまうと夕飯が食べられなくなるから我慢しよう。結局、あたたかいカフェオレとレジの横にあったラスクを買った。袋に入れてもらい車に戻り、袋を開けてラスクをすぐにほおばった。こういうことは我慢できない。普通のラスクと違って茶色だからライ麦パンかもしれない。レーズンも入っている。で、甘くて白い粉がまぶしてあって、一口食べたらとびきり美味しくてびっくりした。

車を走らせながらどんどんと食べた。レジを打ってくれた女の子の笑顔も良かったけれど、このラスク実に美味しい。信号が赤になったのでカフェオレも一口。あれ、この味、どこかで知っている味。そうだ、ニューヨークの街角で買うコーヒーに牛乳を入れてもらったのと同じ味。一ドルコーヒーだ、懐かしい。うれしい。ぼくはラスクが美味しいこととカフェオレの味が懐かしいことで、胸の奥から感情がじんわり湧いてきて、涙は流れないけれどそれに近い感じ、喉《のど》の奥がぎゅっとなるような気持ちでいっぱいになった。

悲しいことを思い出すとか、あの時、あの場所、あの人を思うようなことではないけれど、自分の中にある大事なところにさわったドキドキした感じ。どうして涙が流れないんだろうと運転しながら思った。

なんだかわからないけれど、あったかいひととき。空を見たら青い夜空に小さな星が光っていて今日はいい日だなと思った。あとで見たら、口のまわりと着ていたセーターは甘くて白い粉で真っ白になっていた。これまたなんだかいいなと思った。

晴れた日の約束

今年最初に晴れた日にぜひ出かけたい場所があります。ぼくはタータンチェックのブランケットを広げて、そこに持っていくものを並べていきます。そんな小さな旅の支度はとても楽しいひととき。焼いたおもちをもぐもぐさせながら始めます。

さてさて、昨夜、友人からいただいた食材や調味料を使って料理したその名も夕焼けスープ。これはアメリカ製の魔法瓶に入れておく。そして、ロバに乗った旅人が持っていそうな水筒と、洗い込んだふっくらしたタオル。そうだ、本も持っていこう。黒田維理の詩集は毛糸で編まれたブックカバーをしていこう。で、暗くなった時のことを考えてキャンドルは大きいの小さいの沢山持っていきたいな。あと着替え用のTシャツとソックス。デザートは熊本の果実デコポンを二個。うん、こんなでいいかな。いやいや、もっといろいろと持っていこう。遊べるようなものをいろいろと。

よし。ブランケットを「エイ」とそのまま、はじとはじをあわせてこれ全部を包んでしまいます。それをヒモでくるくるとまとめて出来上がり。リュックにポン。

ドラゴンフライって知ってる？　それを覗《のぞ》くと景色がキラキラになってひとつのモノでも沢山に見える魔法のレンズ。これは上着のポケットに隠しておこう。もちろん、いつも持ち歩いている小さなカレイドスコープも持っていきます。で、ハーモニーボールを首に下げておけば、どんなに歩いて疲れたってその音色が元気をくれるだろう。よし、準備オッケイ。上着を着て手袋をして、リュックを背負ってドアを開ける。ピュウ！ わあ、外は寒いぞお。出発です。

そこは小さな山のふもとにあります。住んでいるのは子供たちが十五人くらい。そして、大人が四人。ぼくは毎年クリスマスの日、そこを訪れて、本を読んだり、遊んだり、おハナシをしたりして過ごします。しかし、今年に限ってはクリスマスには行けませんでした。仕事があったからです。でも、そこの子供たちはみんな友達だからわかってくれています。ぼくはそこを訪れるのが何よりも楽しみだし、子供たちもきっとぼくが来るのを待ってくれています。それはクリスマスプレゼントというには遅すぎるから、ささやかなお年玉プレゼントかな。あ、何かをあげに行くのではありません。単にぼくが子供たちに会いたいから行くだけです。一緒にいるのが楽しいからです。指人形はあの子と遊ぼうかな、パズルはあの子と遊ぼうかな、モビールを吊るしてあげよう。そう考えるだけでワクワクします。みんなで写真を撮ったりとか。それは一年に一度のこと。そして、ぼくと子供たちとのまた次に会うときまで元気でいようねという約束でもあるのです。

途中のバス停で、一度ブランケットを広げよう。ここからまだまだ先だからランチはこのベンチでいただきます。お腹がいっぱいになったらどんどん歩こう。みんなからもらった笑顔を胸に抱いて、エッサエッサと歩くのです。

ぼくはその日が待ち遠しくて仕方がありません。そうだ、娘のニコも誘ってみようかな。今日の夕飯は大好きなカレーです。昨日は二番目に好きなパエリアでした。テーブルの上にはスノーボール。ほっとした夜。ひょうたんスピーカーからはあたたかい音楽が聞こえてきます。

そんなひとときのあと、ぼくは一保堂のお茶を口にしながら、原稿用紙にこれを書いています。壁にかかった時計を見ると、もう今日が終わっていました。

明日は晴れるといいなあ。

旅先の星で知ること

小高い森の真ん中に立つプラタナスの木に寄り添って、エクサンプロヴァンスのさんらんとした星を見つめていたら、自分を取り囲む暗やみから小さな星たちが、目の前にすーっと現れ、ほんのすぐそこまで寄ってきたり、気がつくと逃げていったり、ふわふわと踊るように宙を舞ったり。さそりの尾は肩にぶら下がり、オリオンが鼻先まで伸びてきたり。それはいつものように夜空にきらめく星を見上げているというより、たくさんの星たちにいつしか取り囲まれ、自分と星が同化するような神聖で幸せなひとときでした。

おとぎ話に、人はいつか星になる、そんな言葉があります。亡くなってしまった人は夜空の星になって、いつまでも自分たちを見守ってくれている。そう言い伝えられています。しかし、今回の旅で幾日も一人で夜空を見上げながら過ごしたぼくがふと感じたのは、星になるのは決して亡くなった人だけでないということでした。

本当の暗やみの中で、しばらく夜空と向きあっていると、一人という孤独感が身体の中から溢れてきます。そのこわさといえば大声で泣き出したくなるくらいです。そして、そんなまったく身動きができない状態で見えるものを見ようとすると、夜空の星に人の顔がひとつふたつと浮かんでくるのです。家族、友人、両親、過去の人または心の奥底に隠された人、一人ひとりの顔がくっきりと見えてくるのです。それは自分が過去、現在、これから生きていくうえで、最も大切であり愛している人たちです。表情もそれぞれ、笑ったり、怒ったり、何か言いたげだったり。そして、ぼくと見つめあっています。そこにはあたたかなやりとりがありました。いつの間にか寂しさは消え、同時に、みんなへの感謝の気持ちが胸にどんどんと湧いてきます。みんなが自分をいつまでも見守ってくれていることを実感するのです。そのひとときはとても感情的で、何よりも真実で、かけがえのないやさしさでいっぱいでした。

旅先で知る自分の星。それは希望でもあります。真新しい気持ちになったぼくは、いつか自分もその人たちにとっての星になれますようにと願うのです。そして、そうやって、みんながみんなの星であれば、何があろうと、どこにいようと、同じ夜空でつながっていられることを知るのでした。

この季節、南仏のまぶしい朝陽は荘厳華麗にとてもゆっくりと上がります。それは雄大な景色を柔らかくやわらかく照らし始めます。

「サ・ヴァ？」／元気？

「ウイ。サ・ヴァ」／うん、元気です。

アーモンドのつぼみが香りを放ち、春の気配を知らせる中、今日、ぼくは地中海を目指すのです。

ぼくが旅先で会いたい人

木々の間からもれる陽射しの間を爽《さわ》やかな風と共に駆け抜けるネイティブアメリカンの若者。その若者は自分をよく知り、人や自然を愛し、自分に起こりうる出来事すべてにリスペクトを捧げ、賢者の静寂とキラキラした少年のまなざしを備え持って、そこにいる。

これは先日、ひょんな出会いで国内三カ所の旅の時間を共にした写真家、若木信吾氏との記憶を脳裏に、ぼくが勝手に思い浮かべた言葉である。

何より彼と一緒にいて楽しかったのは、その地での食事であった。これまた美味そうに食べるんだ。高千穂では古代米の飯をほおばりながら「うん、うまい、うまい」と何度もうなずき、下田ではただ黙々と刺身を口にしてはニコッと微笑む。出雲の蕎麦屋の座敷では舌鼓を打ったあと、足を長く伸ばして、いつまでも腰を上げなかった若木くん。その騒がず美味そうに食べる品格のせいか、彼は一緒に飯を食べる、まあ、メシ友達には最高の相手に違いないとぼくは本気で思ったのであった。

「どうしてアメリカに行ったの」

若木くんはアメリカ生活が長い。それなのに、あのアメリカ生活経験者特有のいやらしい腰の強さをみじんも感じさせない彼を不思議に思い、ふとそう聞いてみた。

「写真がやりたかっただけ」

ストレートに返ってきたこの言葉に、ぼくは顔が赤くなった。馬鹿な質問をしたと後悔。そうだよな、彼にとってのアメリカは写真を学ぶ場所以外の、何物でもないのだ。若木くんは、いたってシンプルなのだ。

そんな風にぼくと若木くんが一緒にいた時間は、お互いにとってほんのわずかな時間であったけれど、ぼくが感じた彼の人柄や立ち振る舞いで思うのは、できれば、また遠い旅先でさりげなく、やあ、と会いたい人であるってこと。そこでまた一緒に飯を食らい、ただぼーっとしながら笑っていたい。若木信吾とはそういう人なのである。

らしい一日

眺めのいい公園の原っぱで、丸めたセーターを枕に泳ぐ雲を眺めていたら、いつの間にか眠ってしまいました。どれくらいの時間が過ぎたのでしょうか。大きく伸びていた身体が仔猫のように小さくなって、ひやりとした夜風がほほを撫《な》でる頃、ブルリと身震いあくびをひとつふたつ。両手を伸ばして息を吐く。やれやれ……という言葉より、今このまま誰かがブランケットをかけてくれたらどんなにうれしいかなと空想する。されど、もうひと眠り……。途端、ピューッと風が吹いて、暗やみに包まれる気配にゾッとしました。やっぱ帰ろうかな。そう思ったらグーグーとおなかが返事しました。脱ぎ捨てたスニーカーを拾って、葉っぱのついたシェットランドセーターをオックスフォードのシャツの上からかぶり、チノパンのお尻《しり》についた草をパンパン。立ち上がって空を仰いだら、大きな月がすぐそばにあってビックリしました。何もないけどうれしい一日です。耳の奥にはジョン・レノンの「ストロベリー・フィールズ・フォーエヴァー」。

はたまたある日、仕事場のある中目黒から用事があった千駄ヶ谷まで歩きました。その日は早く出かけたくて仕方ない気分だったのです。用事は簡単だから荷物は置いていこう。行きも帰りも歩きだから財布はいらないな。前後どこから見ても手ブラです。

テクテクテク。

途中で美味しそうなケーキ屋を見つけました。レモンイエローのスポンジが特に美味しそうです。ナチュラルハーブなんだって。ふーん、今度食べに来ます。誰と来ようかな。

古本屋も冷やかそう。探していた幸田文さんの『ちぎれ雲』を見つけました。二、三行読んで静かに棚に戻します。大佛次郎の猫のハナシも読みたいな。あれもこれもと三十分。堪能堪能。

ブラリブラリ。

練習しているギターのフレーズを歩きながら口にします。タタタタ、タタタタ、タン、タン、タタタタ。ジェームス・テイラーのあの曲。このあとが難しいんだ。

通りすがりにある友人の洋服屋にフラリと入ります。あったかそうなコートやジャケットがズラリと並んでいます。気になるものをはおっては鏡に映してニッコリ。ヌクヌクしたコートを早く着たいです。

もう半分くらいは歩いたかな。コンビニの時計をチラリとチェック。時間はたっぷりあります。ハハハ。ビックリ仰天。あっちから友人が手を振って歩いてきました。久しぶりです。道路の端っこで話す二人はニッコニッコ。連絡先を書いたメモをもらって手を振って別れる。別れてからもぼくの笑顔は消えませんでした。会いたい会いたいと思う気持ちが引きあわせてくれたようです。

テクテクテク。

さすがにこれだけ歩くとノドが渇きます。すべり台のある小さな公園でしばし休憩。水飲み場の蛇口に口を近づけて子供みたいにゴックンゴックン。

さてと出発、ブラリブラリ。

結局、行きに二時間、帰りに三時間。合計五時間の散歩三昧《ざんまい》。仕事場に戻ったときはもうすっかり夜となっていました。たった三十分の用事を済ませるためだけで、今日という一日が終了です。たくさん歩いて、たくさん楽しみがあって、うれしい出会いもありました。おつかれさまです。ありがとう。

毎日がこんな風ではないけれど、こんな風に一日を過ごしてみるのもいいもんです。なーんもしてないようだけど、とびきりに自分らしい一日です。だいいちお金を持ち歩かないってのが、らくちんでいいんだな。いろんなことでくよくよしてたけど、もう、へのかっぱって感じ。

目を閉じて見えるまばゆいひかり

ぼくと彼女はしっかりと手をつなぎ、海辺にのびる一筋の道を歩いています。右にはわかわかしい森が揺れながら深緑の山になっていて、左には真っ白な入道雲がもくもくと浮かぶ空の下、きらきらした海があって、ひゅうと風が二人の背中を抜けていきます。たまにその手はもつれあい、互いにおどけたように笑って、ひなたになった道を二人はゆっくりと歩くのです。夏のまぶしい風景が流れ流れていくのです……。

一番うれしかったのは、彼女と手をつなげたことでした。どうしてそうなったのか、さっぱりわかりませんが、気がついたら手をつないでいたのです。思っていた通り、彼女の手はさらさらしていて柔らかかった。ぼくは臆病《おくびよう》だから、自分から決してそうしないので、きっと彼女が手をとってくれたと思うのです。そんな彼女の素振りがすごくうれしかったのです。とにかく、わからないことづくしですが、好きな人とあたたかにふれあう最高のひとときでした。こんなこともあるんですね。今日、目が覚めたとき、幸せに満ち溢れた気分で思わず顔に笑みをふくんでしまいました。

夢の中での出来事。ぼくはそれも現実のひとつと思っています。夢は決して妄想ばかりではないからです。今日の夢にしても、きっとどこかでぼくとその人の意識がつながったからありえたように思うのです。ある日、初めて出かけた知らない景色を、実はそれより先に夢で見ていたということがあります。何かを予知するような夢とか。ですので、夢とは決してまぼろしではなく、運命の断片を映像にしたものとも思うのです。となれば、朝寝坊だって、そこに一瞬の運命があるかもしれませんから大事なのです。

ぼくには生涯のパートナーがいます。夢に出てきた彼女にも恋人はいます。そして、ぼくらは良き友達です。しかし、今日こんな夢を見てしまったぼくに罪はあるのでしょうか。

確かにぼくと彼女、二人の間には、言葉に言い表わせないつながりはあると思います。もしそれをどうしても言葉にするならば、恋愛ではなく運命としか言わざるを得ません。

夢とは運命を見せてくれるもの。そして、そんな夢は誰にでも見ることができる日常の先にあるもの。ぼくは探したいです。小さくていいからそこにあるまばゆいひかりを。目を閉じてこそ見える運命を。

胸に手を

「森に行こう」という友人の誘いを原稿の締め切りがあるからと断って後悔したのは、今日の空があまりにも青かったからです。アーサー・C・クラークが書いた青い空の物語のタイトルはなんだっけ、と立ち止まって考えてみましたが思い出せず、またゆっくりと歩き始めました。仕事場の近くに流れる目黒川の橋にもたれてみるといろんなものが見えてきます。川面はさかなのうろこのような模様をつくりながら流れて、たまにキラキラと波立ち、並木を見上げれば、ほとんどがまだ緑ですが、すきまに黄色い葉っぱがついていて、その枝にぶら下がる具合が蝶《ちょう》にも見えてかわいらしい。散歩する犬の背中を通り抜ける涼風はゆらゆらと眩しく光る。秋ですね。気持ちのいい音色が流れているなと思い、見回すと、すぐ脇で車椅子に乗ったおじさんが口笛を吹いていました。——感傷はただ感傷を呼び起こし、そうでなければただ消えていく。

さて、最近いろんなことがありすぎて、深く考えさせられることが多いこの頃です。たとえば、見えるものより見えないものを大切にしたい。見えないもので大切なものってなんでしょう。時間、記憶、感情、約束、祈り、夢、想い、創造、勇気、そして言葉などなど。そう、誰しもが普通に持っているものです。でも、毎日せわしなく生活していると、それが自分にとってなんだったのかと時折不安になってしまうのです。

「正しい行いをしていれば世界が味方してくれなくても、宇宙が味方になってくれる」賢者が残した心強い言葉です。で、その自分の正しい行いを知るには、見えないものこそが必要と思うのです。見えないものは頭で考えたりするのではありません。胸に手を当てて静かに心で考え、感じ、知るのです。何を云いたいかというと、ぼくも含めて、毎日の自分の行動、判断、思い、考え、言葉などが、正しく行われているか、使われているか、ありうるのか、もしかしたら、そうしたことを胸で考えるのを忘れてしまっているのではないかということです。もっと云うと、損得と自己保身だけを頭で計算してしまっているのではないかということです。

今、世界の風は戦争という未来に向かっています。だからこそ、胸に手を当てて考えるという行為を忘れたくない。世界だけでなく日常生活の近いところでも様々な悩みや問題はあります。そんなときも根気強く、静かに胸に手を当てて、なぜこうなったのか、どうしたら正しいのかを考えてみる。そして、その答えを勇気を持って、正直に受け入れて、カタチにしたり、行動に移していきたい。

目に見えるものだけを大切にする文化、そして、生命をまったく大切にしない文化を築いてしまったぼくら一人ひとりが今できること。もしくは、始めること。それは胸に手を当ててみることではないでしょうか。決して無力な行為ではありません。目に見えないものにこそ力はあるのです。この青い空を見上げれば見上げるほどそう思うのです。

「SAN FRANCISCO→NARITA」

歯を磨いたり、顔を洗ったり、服を着替えたり、女性ならメイクをしたりするとき、鏡で自分を見るけれど、そのとき、見ているものって自分というより、部分的なところだと思います。しかし、鏡に映った自分を見ることは、ちょっと照れくさいというか、なんだか複雑な気分になったりしませんか。

あるとき、こんなことをしてみます。

静かに目を閉じて、自分の顔を目の前に思い浮かべます。輪郭をなぞって、目や鼻や口、えーとえーと。自分の顔なのに、なかなかイメージできません。不思議です。よーし、絵を描くように時間をかけてゆっくりイメージしていきます。うん、やっと自分の顔をイメージできました。今度は身体です。肩、背中、胸、おなか……。後ろ姿もイメージしてみる。身体をいろんな方向から見て、できるだけ具体的にイメージしてみる。これもなかなかむつかしいです。一人の自分を、もう一人の自分がちょっと上から眺めている感じで見つめてみる。そう、客観的に。うーん、意識を集中しないとほんとむつかしい。自分の顔、自分の身体なのになあ。恋人や友人、家族の顔や身体ならすぐにイメージできるのに。

自分のことって見ているようで、実は見ていないのかもしれません。もしくは見たくないのかも。でも、こうして自分自身を少し距離をもって、見つめてみたり、知っているはずのことを、改めて本当に知っているのか確認してみたりすることって、すごく新鮮です。どきどきします。馴《な》れてくると、すぐに顔の線や身体の線がイメージできて、動いている自分の細かなところまで見えてきます。ふーん、自分ってこんな感じなんだあ、とちょっと面白いです。

心の中はどうだろう。今、自分が何を感じていて、何を大切にしたいのか。誰のことが大好きなんだろう。一日中、何を思っているのだろう……。もしくは過去にどんなことを考えたり思ってきたのか。それってちゃんと見ているのだろうか。ちゃんと憶えているのだろうか。散らかった部屋の整理をするように隅々まで見てみよう。心はいろいろ、そして自由です。誰にも干渉されず、なんでもできる。いけないこともたくさん、いいこともたくさんです。たとえば、実際に犯罪を犯してしまったら、それは大変な罪です。でも、心の中だけのことだったら誰にも罪は問われません。でも、いつまでも自分は知っているはずです。

今の自分の顔や身体、そして、心の中。もっと知りたかったり、見たかったり。そうでなかったりしますが、勇気を持って、心の眼で見つめてみる。そこにいる本当の自分はどこに向かって歩いているのだろう。その瞳は何を見ているのだろう。

ずっとずっとずっと何時間も、そんなことばかり考えたり思ったりしていました。

気がついたら、飛行機は成田の空を旋回していました。耳がキーンと鳴りました。ぼくは自分に立ち返った気分でうれしかった。

くるあさごとにくるくる

さあて。コンロにやかんをかけて、おいしいお茶をいれよう。きちんといれよう。合間に窓を開ける。透明な陽射しが眩しい眩しい。新しい風が部屋をそよそよと流れていく。屋根の上には真っ青なそら。大きなそら。起きるのをやめようかと思ったけれどやっぱ起きてよかった。今日みたいにお茶をいれられる朝はそれだけでとびきりに気分がいい。丁寧な時間がやってくる。気持ちも身体もやさしくなってくる。そして、陽射しできらきらした部屋を真っ白な湯気であたためながら、さあて、さあてと気持ちと身体にリズムをつけるのです。きちんとお茶をいれながら、さあて、さあてと今日という一日を迎えるのです。

ぼくは、その朝がどんなにセンチであろうと目が覚めたベッドの中でこう思い描くのです。それはいつかの旅先で出会った美しい太陽と大空のこと。宝物に思えたあのときの太陽。遠くで誰かが唄っていたあの広くて大きなそら。目を閉じて静かにその景色を回想するのです。あったかい陽射しが身体にさんさんとふり注ぐ。身体のはじからはじまで、心の片隅までもがポカポカしてきます。あたためてくれてありがとう。今日も元気です。

ブルターニュで手に入れた碗《わん》は夜空のような青い色。あったかいお茶でのどをやさしく潤わせる。さあて、そろそろ今日を始めよう。さあて。

「一杯のお茶を、きちんといれることができるなら、あなたにはすべてのことができるはず」イスラムの素敵なことわざです。

対峙すること

何かや誰かと対峙《たいじ》すること。
在りそうで無く、できそうでできないことかもしれない。
友達や恋人、家族となら当たり前と思いきや、
対峙するには自分の素直な気持ちと何よりも本当の勇気、
そしてきっかけといえる機会がないとなかなかできるものではない。
もっとも、自分をさらけ出すのは簡単ではないから。
拒絶されるこわさもあるし、お互い見たり感じたりせずに済むことまで、
向きあわされるのだから。
最初は言葉だって通じない。
何もかも嚙《か》みあうわけもないのです。

心を二、三歩後ろに置いたまま、なんとなく言葉を交わしたり、
共通する興味や趣味のハナシで楽しんだり、肌をあわせてみたり。
それで深い関係ができてしまうから、
それ以上それ以下にならないように時間を過ごし、

その時間の長さだけが真実と信じてしまうことって、
ある種、普通のことかもしれません。
仕事でも人間関係でも。

対峙するってなんだろう。どういうことだろう。
ぼくには三歳になった娘がいます。
先日、初めて娘と二人だけの一週間を過ごしました。
子育てで長い間、不自由をさせてしまった奥さんに
旅行をプレゼントしたのです。
もちろん、今まで娘や家族を愛してきたには違いありません。
しかし、毎日、寝に帰る生活で、日曜日に一緒にいることしか
できないので、どうしたって娘はまだまだ、
何かと母親に心が向き、そんな二人の関係を見ていると、
自分はただ傍観している存在って感じでした。
そんな娘と二人っきりの一週間。正直、勇気がいりました。
しかし、この機会を逃したら、これから先、
娘と対峙することなんかできっこないと思ったのです。

そこでわかったのは、
対峙するって心と心を通じあわせるということでした。
そこには言葉も何もいりません。真っ裸な自分と、
相手にすべてを捧げる自分。
最初は戸惑うし、気持ちもあっちこっちにいきました。
だけど、だんだんと真正面から向きあうことになり、
それから逃げずに、忍耐強く、目と目をあわせてハナシをしたり、
楽しんだり、怒ったり、泣いたり、笑ったりしていると、
次第にいつでも心が通じあっている状態になるのです。
そんな瞬間はお互いに、あ、今だ、とわかるのです。
それは、とても幸せな気分に包まれる瞬間です。
信じあい、愛しあい、求めあい、助けあい、生きあう。
もう何も不安はありません。こわくはないのです。

心と心を通じあわせる、って簡単に言葉にするけれど、
決して簡単ではないことがわかりました。

ぼくは好きとか愛しあうという言葉以上に、価値があると感じました。
そして、仕事だって、なんでも、それと心と心が通じあわないと、
何もそこからは生まれないんだなあと思いました。
何より機会や時間が必要だけど、
それは自分の気持ち次第で必然的にやってくると思う。

自分がそれと関係することで、何かを生み出したいのなら、
まずは心と心を通じあわせることが大切。それが第一歩。

ぼくは娘と過ごした一週間で、これから自分が歩んでいく人生において、
とても大切なことを教えてもらい、多くのことを学びました。
今はその機会と娘に感謝の気持ちでいっぱいです。

何かや誰かと対峙する。
ぼくが今まで大切にしてきた愛することや、情熱、誠実とはこのことだったのです。
この歳になって、やっと少しだけわかりました。

ふと思いました。
ぼくはあの人と心が通じあっているのだろうか。

ささやき

その喫茶店の女の子はまるでシンディ・シャーマンのように毎日違った格好をしているのです。昨日はバルドーだったけど今日はシスターの格好といったように。牛丼屋の制服だったときが一番びっくりしました。そのとき？　そりゃさすがに声が通っていました。で、そんな彼女がここを一人切り盛りしているんですが、その彼女がいれる珈琲《コーヒー》が実に旨《うま》いってうわさになって、結構常連っていうかファンなのか、いつも店は老人から子供までにぎわっているんです。ＢＧＭはマーラーばかり。『ベニスに死す』のサントラ。で、たまに大音量でカルロス・サンタナをかけるんだけど、そのときは窓ガラスがビリビリいって大変です。それを知っている常連は耳栓を持ってきているからいいけれど、知らぬ客は大変です。音量に我慢できずに倒れてしまった人を一度だけ見たことがあります。油断大敵ってこのことです。メニューがまた謎《なぞ》です。五つあるテーブルに一組ずつあるのですが、そのメニューが全部違うのです。どうやらどこかの喫茶店から持ってきてしまったメニューを使ってるらしいんです。ま、みんな珈琲しかないのを知っているから珈琲しか頼みませんけど。その珈琲がなんていうか香りがうっとりするように甘美で飲むと口の中でポワーンと苦味が広がって、思わず目をつむって首を振る感じっていうか。間違いなくあなたも病みつきになると思います。

で、ある日、ぼくは彼女が珈琲をいれている姿を見てしまったんです。普段、厨房《ちゅうぼう》のドアはかたく閉められていて、その中は絶対見えないのですが、その日は小さくすきまが開いていて……。

彼女は珈琲をいれるたびカップに向かってささやいていました。呪文《じゅもん》のような言葉を何度も何度も小さくささやいていました。あのささやきが、あの美味しい珈琲の秘訣《ひけつ》だったんです。

まったく困った喫茶店があったもんです。

世界で一番小さなショップのハナシ

日曜日の午後、ブルックリンハイツにて。歩道の縁石にちょこんと腰かけて、一人熱心に本を読む少女がいた。その脇に置かれた小さなテーブルには紙コップとポットがあった。一枚の貼り紙。そこに書かれた文字はすこぶる下手っぴいだった。

Today's Special. Ice Lemonade. 50cent.

「こんにちは」

「こんにちは」少女はちょっとびっくりしながらも、ぼくを見てニッコリと言葉を返した。

「これ冷たいのかなあ？」わかっていながら、ぼくは少女にふと聞いてみた。

「もちろんよ」

「うーん」ぼくはわざと悩んで見せた。

「今日しかないわよ」

「え？」

「明日来てもないのよ。学校だもん」

「そうなんだ」

「だから、このレモネードは今日の特別なの」

「そっか、じゃ飲んでおかないとね」

ぼくは少女に五十セントを渡した。

少女は読んでいた本を脇に置いて、両手でポットを持ち、コップにレモネードをなみなみと注いで、満面の笑顔でぼくにコップを手渡した。

「よくかきまぜて飲んでね。ありがとう、良い一日を」

「ありがとう、君も」

ぼくは少女が言った「今日」という言葉に心を奪われた。そして、少女にとっての「今日の特別」である手作りのレモネード。それをゆっくりと味わいながら「明日でなく今日なんだな」とつぶやいた。うれしかった。

ぼくは旅する本屋さん

ぼくは世界を旅する本屋さん。今日も公園の原っぱで、「BOOKS」と書いた風船を吊って店をオープン。今日はどんなお客がどんな本を買ってくれるかな。あ、来た来た。「いらっしゃいませ、どうぞ見ていってください。世界を旅しながら集めた本ばかりです」今日は眼鏡をかけた女性が最初のお客です。「何かお探しですか？」「いえ、あの、ここで働かせてください」ぼくはびっくり。「まずは、わたしのギターを聴いてください」そう言って女性はギターを弾き始めました。その音色のなんとも美しいこと。そのせいで方々からたくさんの人や小鳥までもが集まって来ました。弾き終わると女性は「ではみなさん、本を買っていってください」と言いました。すると、集まった人々はこれをくれ、あれをくれと大騒ぎ。おかげで今日の本はすべて売り切れてしまいました。「あの、ここで……」女性はもう一度言いました。ぼくは「ぜひとも」とうなずきました。

二人は世界を旅する本屋さん。今日も新しい街でお店を開きます。まずは、アリゾナで出会ったネイティブアメリカンの族長が「これは幸運のラグなのだ」そう言ってぼくにくれた敷物を広げます。そこにリュックから本を一冊ずつ取り出し並べていきます。

ひと通り並べたら、風船に「BOOKS」と書いてオープンです。相棒は眼鏡をかけたケイトが一人。出会ったばかりの新米ですがギターを弾かせたら天下一品です。今日、最初のお客は小さな女の子でした。「この本を引き取ってください」そう言って一冊の本をぼくに渡しました。「ずいぶん古い本のようだけど。お代は安くていいかな」「もらってください」そう言って女の子は下を向きました。ぼくは困ったなあと思い、その本のページをめくると、押し花になったクローバーがはらりと落ちました。そこには「I LOVE YOU, too」と書いてありました。それを見たケイトは顔を赤くして言いました。「その子、妹のカレン……」

ぼくらは世界を旅する本屋さん。ネイティブアメリカンの族長からもらった幸運の敷物と、ギター弾きのケイト、その妹のカレンと旅をしています。一人で始めた「旅する古本屋」が、いつの間にかにぎやかになりました。今日は新しい街へ向かうため港から船に乗り込みます。一時間もしないうちに海は大変な大荒れになりました。三人は敷物をかぶってぶるぶる震えていました。そして、あるとき、大きな波が船を飲み込み、船は転覆し、三人はそのまま海中に放り出されてしまいました……。で、どのくらい時間が経ったのかわかりませんが、目が覚めたらそこは美しい島の浜辺でした。起き上がるとケイトもカレンも隣にいて無事でした。「よかったあ」そして、三人は一斉に「お腹すいたあ」。すると、どこかから「ごはんですよ」と声がしました。見ると、島の人々が食事の支度をしてくれています。ここがどこだかわかりませんが新しい街には違いありません。ぼくらは元気に走り出しました。

ぼくらは世界を旅する本屋さん。乗っていた船が沈没してしまい、売り物の本や、ネイティブアメリカンの族長からもらった幸運の敷物も流されてしまいました。相棒のケイトが大切にしていたギターも流されてしまいました。しかし、みんな無事だったのでぼくらはちっとも悲しくありません。流れ着いた美しい島の人々もとても親切でやさしい人ばかりです。三人はこれからどうしようかと考えました。ぼくはもう本がないから古本屋はできません。ケイトもギターがないから弾いてみんなに聴かせることはできません。側にいたカレンはこう言いました。「本がなければ書けばいいわ。ギターがなければ唄えばいいのよ」ぼくとケイトはハッと気がつきました。そうだ、これからぼくはみんなが読みたくなるような本を書けばいいんだ。ケイトはみんながうっとりするような歌を唄えばいいんだ。二人はそう決心し抱きあって喜びました。

出発の日、ぼくらは世界を旅する家族になっていました。

牛の本屋、はじまりのはなし

　ぼくには大好きな友達がいます。

　それは恋愛の一種かといわれればそうかもしれません。心のずっと奥では恋愛、素振りや行動では友達というのが本当かもしれません。ぼくらは頻繁に会うわけでもないし、何ひとつ干渉もしません。ただお互いがいるというだけで、心がほっと安心するようなあたたかな関係です。二人の距離が遠からず近からずあるのは、意識してそうしようとしているのではなく、すごく自然なことです。声をかければ言葉を返してくれる。何も言わなければそっとしておいてくれる。しかし、静かに互いを見守っている。正しいことと間違いを教えてくれる。いろんな感情が混ざりあっただらしない関係には決してならない。その気持ちと気持ちのつながりには清潔感がある。たとえば、ぼくがこの先どうなろうと、きっと彼女は同じ場所にいてくれるだろう。ぼくに何かあれば、手ぐらいは握ってくれるかもしれない。いつか、そんなぼくと彼女の関係をぼんやりと思っていて心に浮かんだのは「自由」という言葉です。ぼくには家族がいて、彼女にもプライベートがあります。しかし、一人の人間として立ち返ったときに、それが男性であろうと女性であろうと、自分に必要と思える人がいてくれるということはうれしいことだし、感謝すべきと思うのです。

「自由」とは元気を与えてくれ、明日の一歩を生み出してくれるもの。そして、自分にはもちろん、周りに対してやさしくなれたり、思いやりといった気持ちを生んでくれるものです。そんなぼくと彼女の「自由」な関係。ぼくはこの関係をとてもうれしく思います。そして、こんなうれしい関係を、もし他にもカタチにできるのなら、惜しむことなく勉強と努力を続けたい。こんなぼくの思いを向けたのが牛の本屋『カウブックス』です。

共同運営する『ジェネラルリサーチ』の小林節正さんは、そういった気持ちの部分が、唯一説明なしでわかりあえるかけがえのない友人です。「いつか一緒に本屋を作ろうよ」という言葉を交わし、それを互いの目標に頑張ってきました。場所は二人が思い描いていた通り、静かな川の流れが目の前にあって、明るい木漏れ日が射し込む目黒川沿いです。本屋にしては決して大きくありません。手に入れることで自慢になるような本はありません。そのかわり、読んだり見たりすることで、毎日の生活に光が射し込むような一冊、勇気を出して何かを始めるきっかけになるような一冊、いろんなことがぼんやりと空想できる一冊、新しい発見や刺激を与えてくれる一冊などがたくさんあります。専門とするカテゴリーはと聞かれれば、本の種類は様々ですが、あえて言うならば「自由を感じる本、体制や時代に押しつぶされない力をもった本」と答えたい。そのセレクトはとてもかたよったものになりますが、本来、本屋というもの、その店の主張や個性が棚に溢れるものです。今、考えていることや、感じていることが一冊いっさつのセレクトの基準になるはず。ですので、『カウブックス』は、コレクターやマニア向けの本屋ではありません。純粋に人々の生活に取り込んでもらえるようなまじめな本屋でありたいのです。

本屋であるからには、自分たちの店で売りたい本は自分たちで作りたい。こんな風にも思っています。それはほんの小さな一冊からかもしれませんが始めていきます。『カウブックス』が、単に本を売っている場所であるだけではなく、新しい視点による本が常に作られている場所でもありたいのです。店の奥ではせっせと本を作っている。そんな、そば打ちが見える、手打ちそば屋さんのような店がぼくらの理想です。

一番伝えたいのは、今、こうしてオープンしたときが完成ではなく、今がすべての長い始まりだということです。『カウブックス』とそこに来てくれる人の関係が、先に書いたぼくと彼女のような「自由」な関係であってもらいたい。何かが生み出されている鮮度のある場所でありたい。その街にとって安心で安全な場所でありたい。そして、たくさんの人が集まり、自由に働ける場所になってもらいたい。それはほんの小さな一冊の本からできるんだ、ということをぼくらはやり遂げたいのです。そんな景色を遠くに見ながらゆっくりと歩んでいきます。牛のように一歩一歩。

高村光太郎に思いを寄せて

この男はへんな本屋だ。
あるときは道端に本を並べたり、
あるときはトラックに本を山と積んで西へ東と走ったり、
巷《ちまた》で売れるどうでもいい本は一冊も置かず、
自分が読んでいいと感じた、どうでもよくない本ばかりを並べている。

自分流については世界一と思いながら人前では知らんぷり。
稼げる腕はありながら、それを使おうとせず、
役に立たない勉強と、一人よがりな遊びばかりに夢中になって、
日々ぼんやりし、本がたくさん売れると不機嫌になる。

愛想の良さはとびきりだが、簡単に誰とも仲良くなろうとしない。
どっちつかずという考えは、生まれつきの性格が許さず、
やるかやらぬか、好きか嫌いか、どっちかだ。
普通は、という言葉はいやでも口にせず、

安定すれば、それはすぐに壊し、
不安定で新しいことだけに生き甲斐を知る。

この男は、
質素といえど、不潔を嫌い、
いかなるときでも清潔にと思っている。
その手が土や砂でまみれていようと、
心の目で見て清潔であれば、他はどうでもいいとさえ思っている。

旅に出れば、一日中ぽかんとしてる。
まるで役立たずの犬のようだ。
そして、景色やその地にある生活ばかりを面白がり、
いつもにこにこしながら歩き、遠くばかりを見つめている。

この男は、
すぐに人を好きになって心をあけっぱなしにし、
失敗ばかりしている。

そして、そうしたことをあーだこーだと文章に書いて、
泣いたり笑ったりと今日を過ごしている。

この男は、
最近、川沿いに牛という名の本屋を作ってせいせいしている。
この男のへんな本屋を
この男も不思議に思う。

2

見つめあったサンフランシスコ

本屋で働く女の子

「本屋で働いている女の子が好き」と言っては、友人から笑われている。

サンフランシスコの『シティライツ・ブックストア』を初めて訪れたとき、そのインディペンデントな本のセレクションや店内に溢れるあたたかくて平和な空気感、また、ビート文学発祥から今に至って、本屋として積み重ねたボヘミアン文化の中心地としての存在、そこにやっとたどり着いたという感動よりも、実は、窓から射し込む陽光にあたりながらレジを打っていた女の子の横顔のほうが、ぼくには感動的だった。彼女は黒い眼鏡をかけ、茶色のロングヘアは後ろでひとつに結び、女学生のようなストライプのワンピースを着て、指には幾つもネイティブアメリカンの指輪をしていた。そして、一冊いっさつレジを打つたびにくちびるを咬《か》む癖があった。その姿がとびきり可愛かった。

それからというもの、ぼくは毎日『シティライツ・ブックストア』に通った。どうしても彼女と仲良くなりたかったのだ。そのうち幾度か、創設者であり詩人である、ファリンゲッティ氏を店内で見かけたが、そんなことはぼくにはどうでもよかった。木の階段を上がった二階のポエトリールームの窓辺に座って、どれだけ沢山の本を読んだことか。もしや、彼女が休憩で上がってきて、ふと目があうかもしれないとか期待しながら……。とにかく馬鹿だった。でも、ぼくは本気だった。

サンフランシスコの本屋巡りを始めたのは、丁度その頃だった。植草甚一が街を歩きながらニューヨーク・マップを作ったように、ぼくも自分ならではのサンフランシスコ・マップを作ろうと思ったのだ。

『シティライツ・ブックストア』は、サンフランシスコにおいて、いわば象徴的な本屋だが、もっと個性的で、うれしい出会いがある本屋が沢山あるはず。そう思い、ぼくはサンフランシスコ中を歩き始めた。エリアは「バークレー」「シティ」「ミッション」「ノースビーチ」「ヘイトアシュベリー」と、あくまで散歩がてら気ままに歩けるところを歩きに歩いた。

バークレーの古本屋『セレンディピティ』。この本屋こそサンフランシスコを代表する本屋だ。ジャンルはアメリカ文学全般だが、ぼくの好みとする六〇年代から七〇年代のカウンターカルチャーやアンダーグラウンド系の本でないものはないというくらい驚きの充実度。さすがオーナーが元活動家だけのことはある。おまけに、本屋でありながら街のコミュニティとしての機能も果たしている。常に良質な本が集まるのと同時に、沢山の人や情報もこの場所に集まり、そこでまた新たなメッセージやスタイルなどが生まれ、人々や街へと発信されていく。まさに、サンフランシスコならではの本屋の姿がここにある。そしてまた、ここで働くチャーミングな女の子がぼくは気になっている。

本と旅するおじいさん

夕陽の沈むほんのひととき前、草の葉も、木々のつぼみもすべて青く輝く一瞬があります。ぼくはこの幻想的な光景を旅先のプロヴァンスで知りました。そして、ある日、毎日それに見とれる自分自身もほのかに青光りしていることに気がつきました。その感覚を言葉にするのは容易でありませんが、自分の中にある何かにぽっと火が灯《とも》されるような感覚です。日常のひとときでも同じような光景に出会うことがあります。いや、そんな心の内側の気配を知ることがあります。たとえば、一冊の本を読んでいるとき。ちょっとした一文に自分の何かが敏感に反応する。そのとき、あ、これはあのプロヴァンスで体験した感覚と同じだ、と思うのです。やはり、ぽっと火が灯されるようなあの感じ。そうです、あたかも、その本の中を自分が旅しているように思える一瞬というか……。

サンフランシスコのダウンタウンに、五十年も続く『ELIS』という小さなコーヒーハウスがあります。そこでぼくが出会ったおじいさんは毎日数冊の本を抱えてやってきては一日中テーブルで本を読んでいるのでした。実を言うと、サンフランシスコを訪れるトラベラーには有名なおじいさんでした。お目当ては皆、彼が話す旅のハナシを聞くことです。聞くところ、彼は三十年あまり毎日かかさずこの店に来ては本を読んでいるそうです。そして、そんな彼の旅のハナシはとびきりに面白く、また耳にするだけで誰もがその場所に行ったような空気に包まれるといいます。ある日、ぼくはどうしてそんなにたくさんの旅のハナシを知っているの？　と聞きました。すると、「ワシは毎日、旅をしているからさ。ほらご覧」と言って、目の前の本を指し、にっこりと微笑むのでした。毎日そこに座っているおじいさんは、皆にとって、まさにあのプロヴァンスの夕陽と同じ。そんなおじいさんの本と旅する毎日に、誰しも見とれてしまうのです。

なんでもかんでもカリカリおじさん

とりたてて何も用事はないのに、早起きしてしまったからには、部屋でじっとしていられるはずはなく、散歩がてらテクテクと出かけたファーマーズマーケット。新鮮な野菜やフルーツはもちろん、ちょっとした惣菜《そうざい》などをチョコチョコ食いできるので、サンフランシスコでの朝の散歩の寄り道にはもってこいでありました。

そのおじさんは朝市の中でもヘンチクリンな店の主人でした。あらゆる野菜とフルーツをカリカリに乾燥させたモノを専門にしている店ですが、なんだろうと立ち寄る一人ひとりに商品化されていない実験版ドライナントカを試食させては、ほとんどの客から苦い顔でにらまれています。

「それはスイカの皮じゃよ、ガハハ」

食べさせられたほうはたまったものではありません。そのおじさんはなんでもかんでもスライスしてカリカリに乾燥させるのが大好きなのです。

でも、おじさんが作る、カリカリだけど、嚙むと一気にジューシーな甘さが口に広がって、そのあったかい風味をいつまでも楽しめるドライオレンジは格別に美味しいのでした。

しかし、そのドライオレンジを買うためには難関があるのです。スイカの皮、オリーブ、なんだかわからない根っこみたいなもの。これらたくさんの試食をしないと、いつまでも売ってくれないのです。

「ベリーヘルシー！　ガハハ」

苦い顔を見せるとおじさんは、決まってこう云うのです。

まったくアメリカという国には変わった人が多いものです。やっと、ドライオレンジを売ってもらったぼくは朝市に隣接しているカフェで気分良くコーヒーを飲むことにしました。朝の海風がメチャ清々しくて気持ちいい。

と思っていたら、あのおじさんが笑顔を見せてこっちにやってくるではないか。また何か手に持っている。

トランクスとショーツが降るヴァレンシア通りの夕方

アイリスは、リヴェンウォースとジョンズ・ストリートの間にあるアートスクールに通っている女の子。授業のある日はぼくが夕方五時を待って学校まで彼女を迎えに行く。そのあとはパウエル駅まで肩を抱きあいながら歩いて、BARTに乗り、アパートがある十六丁目まで帰る。ブラックパンサーの兄ちゃんが働くピザ屋の二階が彼女の部屋だった。そして、通りをはさんだ向かいにはぼくらのお気に入りの古本屋『アバンドン・プラネット』があった。

彼女は日本人のお母さんとイタリア人のお父さんの間に生まれたハーフでぼくより二歳年下だった。二間ある部屋には彼女が描いたペイントがそこらじゅうに立て掛けてあり、その部屋はいつも画材の匂いでいっぱいだった。ぼくはそんな彼女の部屋でくつろぐのが大好きだった。

部屋に着くと、彼女はキャミソールとショーツだけになり、「ラクチン、ラクチン」とベッドに寝ころび、笑みを浮かべながら歌を口ずさむ。そんなときのぼくはといえば窓辺のソファーに座って、足をテーブルに投げ出し、彼女が向かいの本屋で買った本を見たり読んだり。

「あげないわよ、でも好きでしょ」それはポール・ボウルズの『Let It Come Down』

の初版だった。

もちろん、ぼくの好みだ。「いいわ、貸してあげる」そう言って彼女はぼくをベッドに呼んだ。口にはポテトチップスが一枚はさまれていた。本を置いてぼくはベッドにジャンプする。

「明日、車でアルマニーのフリーマーケットにブックハンティングしに行こう」ぼくは彼女の口からポテトチップスをかじる。彼女はうれしそうにうなずき、カウボーイみたいな声をあげて、ぼくのトランクスを窓から放り投げた。「今日のは新品なんだぞ」とぼくが言うと、彼女は大笑いしながら「いいわ、わたしのを貸してあげる」と、ぼくの頭に自分のショーツをかぶせた。「ようし、見てろ」ぼくも窓から彼女のショーツを放り投げた。裸になった二人は窓の下をそうっと見た。だあれも窓から降ってきたトランクスとショーツのことなど気にはしていなかった。夕焼けが青い夜空に変わっていく中、二人はセックスをした。窓からそよぐ風がサンフランシスコの夏を知らせてくれた。

バーンストーマー・ブックス

サンフランシスコから車で三時間くらい走った小さな街にある一軒の古本屋。店の名前は『バーンストーマー・ブックス』といいます。バーンストーマーというのは英語で旅役者とかいう意味ですから、方々を旅しながら暮らす本屋だなんてとってもイカした店の名前なのです。店の看板は複葉機の機体に屋号を描いたイラストで、どうやらここの本屋は、この複葉機で方々を旅するんだなとわかり、それがとっても清々しくて悠々としていていいなと思うのでした。

店主の名はラファエルといいます。年の頃は六十歳くらいでしょうか。銀髪にセルフレームの眼鏡をかけたとても気さくなおじさんです。さて、これからぼくとその『バーンストーマー・ブックス』のラファエルおじさんとのハナシをしたいと思います。ラファエルおじさんと出会ったのは三年前のバークレーでした。バークレー・マリーナでベイエリア最大の古本市があり、そこに出店していた本屋の一人がラファエルおじさんで、そこに訪れた一人がぼくだったというわけです。ラファエルおじさんの出店ブースは、六畳くらいのスペースでした。で、持ってきていた本はというと、オールドマガジンと呼ばれる、『エスクァイア』や『ライフ』、『ヴォーグ』や『ハーパース・バザー』といった、そのほとんどが一九三〇年代から五〇年代といった、アメリカにおいて雑誌黄金期に発行されたものばかりでした。くわえて、ラファエルおじさんの店の在庫はとても状態が良く、五十年前の雑誌にもかかわらず、新刊雑誌のような輝きを持っていました。ぼくはびっくりしました。だって、雑誌など取っておく習慣はほとんどなく、大体はポイと捨ててしまうもの。それなのに、今、目の前にあるものはほんとにピカピカなのです。

「すごいなあ、新品みたいですね」

「その通り、誰も読んでいないのもあるよ」

ラファエルおじさんは得意気にこう言いました。ぼくはラファエルおじさんのブースでたくさんの本を買いました。オールドマガジンはもちろんのこと、他にも写真集や地図などなど。ぼくも日本で本屋をやっているんだ、と言うと、ラファエルおじさんはなぜか大喜びして、次から次へと持ってきている本や雑誌を箱から出して、見せるのです。そのセレクションは多くの本屋が探しているものや、見たことのない珍しい雑誌などなど。とにかく、ぼくにとってラファエルおじさんの店は、いっぺんにお気に入りになってしまうくらいすごかったのです。ラファエルおじさんは片手にちぎったパンを持ち、もう片方の手でジャムを塗りながら「もっと見たければ、ぜひお店においで」と言いました。ぼくは「もちろん、行きたいです」と答え、ジャムがくっついたラファエルおじさんの店のカードを受け取ったのでした。

サンフランシスコでいくつか用事があったので、ラファエルおじさんの『バーンストーマー・ブックス』を訪れたのは、最初に会った日から十日も経ってのことでした。友人に車を運転してもらって、地図を片手に出かけたのです。店のある街は緑が豊かで、美しい大きな川が流れていて、その脇には使われていない線路があったりして、その風景はいつかの映画で見たアメリカの田舎そのものでした。小さな街でしたので道行く人に『バーンストーマー・ブックス』はどこですか、と聞くと、にっこり笑ってすぐにその場所を教えてくれました。その街に暮らす人々も、その街の景色と同じようにやさしい人ばかりでした。

『バーンストーマー・ブックス』は目抜き通りから一本中に入った路地の突き当たりにありました。先に言いましたが、真っ青に描かれた背景に複葉機がぴゅうと飛んでいる看板があり、すぐにそこがわかりました。

ぼくはあったあったと喜んで、友人を追い抜き、その店に向かいました。

カランコロン、ドアを開けるとこんな音がしました。お店の広さは幅が五メートルくらい、長さが二十メートルくらいの長細いスペースで、中二階があり、それが吹き抜けになっているので天井がとても高くて、開放感のある店です。カウンターを見ると若い男の子がレジを守っていて、すぐそばには眼鏡をかけた女の子が本を一冊いっさつ丁寧に拭いていました。ぼくは店を見て廻りました。特に希少な一冊を取り揃えているわけではありませんが、気軽に手にとれるうれしい本を揃えた、街のみんなが利用する古本屋という感じです。絵本、児童書、雑誌、小説、コミック、美術書、意外に思ったのは料理本の品揃えが良かったことです。そういえば、この街に来て最初に思ったのは、あぁ、ここで何か食べるのは楽しみだなと思ったことでした。なんだか美味しそうな感じがしたのです。そんな風に店を見ていたら、ラファエルおじさんの声が聞こえてきました。レジにいる男の子と話しているようです。そっと近寄ってみるとやっぱりいましたラファエルおじさんです。

「こんにちは、この前、古本市で会った者です。お店を見たくて来てしまいました」

ぼくはラファエルおじさんの近くに寄って小さな声であいさつをしました。ラファエルおじさんは一瞬、誰だっけという顔をしましたがすぐに思い出したようで、「ようこそようこそ、よく来てくださいました。えーっと、コーヒーでも飲みますか。店は見て廻ったのかい。えーと、あ、とにかくよく来てくれたね」と歓迎してくれました。一人のお客でしかないぼくは、「いえいえ、お構いなくしてください、勝手に見てますので」と言いました。すると、「えーっと、そうだ雑誌だよね、こっちにおいで」そう言うとラファエルおじさんはぼくを奥の小さな部屋に連れて行きました。「ここは秘密の部屋なんだよ」ラファエルおじさんは得意気です。秘密の小さな部屋は天井が低く、頭がぶつかってしまうくらいでした。広さは十畳くらい、それでも横に窓があって、外からの光で部屋は照らされていました。「ここで好きなだけ見てていいよ」その部屋には、あの古本市で見せてもらった何倍もの量のオールドマガジンがありました。「すごいなあ」ぼくは驚きました。普通、そういった雑誌は決して安くないのです。たとえば、五〇年代に出版された『ヴォーグ』などで五十ドル、三〇年代の『エスクァイア』で二十ドルくらい。それが相場なのです。しかし、ラファエルおじさんの店ではその半分以下の値段で、とてもコンディションがいいのです。もっとびっくりしたのは、そんなオールドマガジンの中でも特に高いもの、たとえば表紙が有名人であったり、有名なイラストであったりすると通常の何倍もの値段になるのですが、それも全部同じ。さらに『ハイタイムス』が創刊七二年から八三年まで揃っているのを初めて見ることができました。そんなものが見られる場所です。とにかく雑誌好きのぼくですから二時間はたっぷりと見て廻りました。そこでの時間はぼくにとってまさに学習というべきものでした。

「コーヒー置いておくね」

レジで本を拭いていた女の子が途中で来てくれて、何か手伝うことがあったら言ってねと声をかけてくれました。ぼくは眼鏡をかけた女性に弱いので、もじもじしてしまいました。

たっぷりと『バーンストーマー・ブックス』を堪能したぼくは友人も一緒だったので、「そろそろ帰ります」と、ラファエルおじさんに告げました。「何か欲しいものがあったかい」ラファエルおじさんはやさしく聞きました。ぼくは「これとこれを買って帰ります」と言って、『ハイタイムス』創刊号と、『ポートフォリオ』というデザイン雑誌を二冊渡しました。本当を言うと、もっと買いたかったのですが、いっぺんにたくさん買うことがなぜかいけないような気がしたのです。「いいの選んだな」ラファエルおじさんは笑顔で言いました。会計を済ませて、じゃあ、ありがとう、とあいさつをすると、ラファエルおじさんは「車だよな。ちょっと待ってて」と言って、どこかに走っていきました。レジの男の子と女の子は笑っていました。

なんだろうと思って待っていたら、段ボールを両手に持ってきて「はい、これ、おみやげ、どうぞ持っていって」とぼくらの車に乗せてくれました。中身を見ると、いくつもの瓶に入ったジャムとパンでした。ラファエルおじさんは自分の畑でとれたフルーツでジャムを作っていて、パンはこの子が焼いたんだと言いました。眼鏡をかけた女の子は娘さんだったのです。なんだかこんなに親切にしてくれて、なんて言ったらよいかわからないぼくはいっぱいの笑顔でみんなにさようならと言いました。車を出して、後ろを振り返ると、ずっと遠くにラファエルおじさんの姿があり、まだ手を振っていました。車の中は買った本の匂いよりも、あの眼鏡をかけた女の子の焼いたパンの香ばしい匂いでいっぱいでした。

「いい人だったね」とぼくは友人に言うと、友人も「うん、めちゃくちゃいい人だったよ」と言いました。それからというもの、サンフランシスコに本の買い付けに行くと、ラファエルおじさんの『バーンストーマー・ブックス』に行き、本を選び、ジャムとパンをもらって帰ることがお決まりになっています。

ぼくは年に何回か本の仕入れでサンフランシスコに行きますが、ラファエルおじさんに会いに行くといったほうが本当のような気がします。

いつかぼくもラファエルおじさんのように、『バーンストーマー・ブックス』のようになれたらいいなと思うのでした。

ゾエトロープ・オールストーリー

サンフランシスコ、バークレーにある『ミッシング・リンク』という老舗《しにせ》のサイクルショップで働く友人を訪ねたのは一年前の初夏でした。ランチを一緒に食べる約束をしたぼくらは、そのサイクルショップの斜向かいにある小さなカフェで待ち合わせをしました。

約束の時間より早く到着したぼくは、友人をすぐ見つけられるよう、道路に近いガーデンチェアに座り、クランベリーマフィンとドリップコーヒーを片手に一息つきました。バークレー特有の爽やかな風がそよそよと頰《ほお》をなでます。

ポロシャツから真っ黒に日焼けした二の腕をあらわにした友人がカフェに現れたのはそれから三十分経ってのことでした。

「ごめんごめん、シフトギアの修理が終わらなくて」

友人はこれ以上ないくらいの笑顔を見せてぼくの肩を抱き、ぼくも彼の背中に手をまわし、互いに二年ぶりの再会を喜びました。ぼくは彼の清々しい笑顔が何よりも好きでした。

「で、もう本屋は廻ったのか」

友人はカウンターからツナサンドとカプチーノを受け取りながら、後ろ向きで大声でぼくに聞きました。

「いや、まだどこにも行ってない」

「オーケイ、今日は君に付き合うよ」

友人の名はウエイン。二年前、バークレーで開催されたベイエリア最大のブックフェアのブースで出会ったアメリカンチャイニーズ。そのとき、本屋でもあるぼくはビートニク関連の初版ばかりを扱うディーラーからジャック・ケルアックの『オン・ザ・ロード』初版ペーパーバックを買おうか悩んでいました。値段は四十五ドル、悪くない。そう思っていたら、脇から誰かがぼくをつつきました。ふと、そっちを見ると目で「ちょっとこっちに来い」と合図を送る男がいます。「は？」とした顔で見返すと、彼はニッコリと笑顔を見せ「いいこと教えてやる」とつぶやきました。

「ちょっと待ってて」

ぼくはディーラーに声をかけました。

「十分だけ」

ディーラーは答えました。基本的にブックフェアでの本のキープは分単位です。それだけバイヤーもディーラーも必死なのです。ぼくは脇をつついた男のもとに小走りで寄りました。

「あの本を買うのか」

「うん、多分」

「あれは初版じゃないぜ」

「えっ」

「『オン・ザ・ロード』の初版はあのイラストのジャケットじゃないんだ、あれは確かに初版と記してあるが、本当の初版は別の出版社からのもの。だから、あれを買うのはやめておいたほうがいい」

彼はニッコリと笑顔を見せてこう言いました。


そんなやりとりから始まり、ぼくらは一緒にブックフェアのブースを歩いては品定めをし、互いにとびきりの収穫ある一日となりました。もちろん、別のディーラーから本当の『オン・ザ・ロード』初版を格安で手に入れたのは言うまでもありません。それからというもの彼はぼくにとってアメリカの良き友人であり、アメリカ西海岸における本屋情報をそつなく教えてくれる本仲間となったのです。

むしゃむしゃとツナサンドを頬張りながらウエインはぼくに読みかけの雑誌を投げて見せました。それは『ゾエトロープ・オールストーリー』という季刊文芸雑誌でした。

彼は鼻を膨らまして説明を始めました。

「これは一九九七年に映画監督のフランシス・フォード・コッポラが、低迷するアメリカ文学界に新風を巻き起こそうと作った短編小説雑誌。バックナンバーはコレクタブル。内容はアメリカにおける新鋭作家の短編作品だけを収録したヒップな文芸雑誌なんだよ」

と、そんな風にバークレー一の本好きで有名なウエインがアツくまくしたてるほど、彼自身今、最も夢中になっている雑誌が『ゾエトロープ・オールストーリー』ということらしい。

「ぼくには英語が読めないよ」

「読めなくてもいいんだ、とにかくこのクオリティーを感じてくれ」

ぼくにはウエインがまるで『ゾエトロープ・オールストーリー』のセールスマンのように思えてきました。ぼくはページを一枚いちまいめくって、その魅力的な雑誌に目を通し、メリッサ・バンクやエミリー・パーキンスといった新しいアメリカ作家のことを初めて知りました。そう考えると、六〇年代、あらゆる若い才能の発表の場であった日本のラディカル雑誌『話の特集』の現代アメリカ版、もしくは五〇年代から七〇年代にかけてアメリカで出版されたアヴァンギャルド文芸雑誌『エヴァーグリーン・レヴュー』のようにも思え、この『ゾエトロープ・オールストーリー』に愛着を感じてきました。

そんなサンフランシスコ、バークレーでのひとときを思い出す、『ゾエトロープ・オールストーリー』。今、ぼくはこの雑誌を手にサンフランシスコへの旅の支度をしているところです。ぼくの大切な友人とこの『ゾエトロープ・オールストーリー』について語りあいたいがためです。また、あの清々しい笑顔にも会える。「バークレーのあのカフェで……」ぼくはそんな言葉を桜舞う東京で手紙につづり、青空を大きく仰いだのでした。では、ちょっと出かけてきます。

ブロォォオオオティガンを探しに

シスコに行ってきた。ぼくの大好きな一冊『アメリカの鱒《ます》釣り』の初版を探しに。で、ブロォォオオオティガンが暮らしたノースビーチを歩いてきた。ワインで喉を潤わせ、エッチラオッチラと。いい風があった。気持ち良かった。美味しかった。

初めてシスコに行ったのは、ちょうど十年前、ぼくが洋書の古本屋を始めた頃。自由主義に憧《あこが》れていたぼくにとってシスコは聖地そのもの。デッドやフィッシュをバックに、コロンバスアベニューの坂を上がってシティライツ書店に行っては、中二階のオフィスにファリンゲッティの姿を探し、右も左もわからないノースビーチに迷い込んでは足を棒にした思い出はつい先頃のようだ。

それからというもの、いわゆる希少本、美術古書よりも、その時代そのものを表現したアメリカのジャンクな古本やペーパーコレクティブの仕入れで毎年訪れるシスコ。朝六時から美味しいコーヒーが飲めて、古本屋がたくさんあって、のんびりしたアートがそこらにあって。何もかも新鮮で、そよ風がなんとも気持ちいい。そんな風にぼくはすっかりシスコのファンなのだ。で、どうして『アメリカの鱒釣り』かというと、何を隠そう、そんなシスコの魅力を、いち早くぼくに教えてくれたのがこの一冊だったのだ。

ブロォォオオオティガンってビート・カルチャーの作家と思われているけれど、実はその時代の名士たちとは一切関わりを持たなかった人で、まあ、そのどこにも属さずにいたライフスタイルと、めちゃくちゃだけどエスプリの効いた詩的な文章に、ぼくなりにフィットするところがあり、とにかくたまらなく大好きなのだ。だから、その『アメリカの鱒釣り』の初版を手にしたいと思い早十年。いつかどこかで会えるだろうと思っていたけど甘かった。『シェイクスピア書店』のエドは言った。「うーむ、ハード・トゥ・ファインドだな」これはちゃんと探し歩かないと見つからないぞ。そう思って、ぼくのシスコでブロォォオオオティガン『アメリカの鱒釣り』を探す旅が始まった。

古本は値段が高ければ高いほど見つかる可能性が高い。では、一番見つかりにくい古本とはどういうものか。それは、出版部数が少ない割には値がつかない六〇年代カルチャーの文芸本。「トロウト・フィシン・ナメーリカ、ファーストでも四十ドルくらいかな」『フォレスト書店』のフランクは言った。まさに見つかりにくい一冊だ。刊行された一九六七年、この奇妙な短編集を売れると読まなかった出版社は大部数を刷らなかった。しかし、時代はブロォォオオオティガンに味方した。出版社はあわてて増刷した。よって、ファーストは少なくセカンドからはわんさかある。表紙や中身はなんら変わらない、ただページにファースト・プリンティングとあるか、セカンド・プリンティングとあるかの違いだけ。でも、やっぱりぼくはファーストの山高帽を被ったブロォォオオティガンに会いたくて仕方がない。おーい、アメリカの鱒釣りちんちくりんやーい。

シスコの古本屋は市内にパラパラと点在している。だから何よりも足が頼りだ。まずは、ポーク通りとサター通りの交差点を中心としたあたり。近くにはクラムチャウダーが絶品の食堂『スワン』があるのでランチはぜひここで食したい。『エイコーン書店』は品揃えの良さと規模ではシティ一を競う名店だ。そして、最近はゲイ雑誌が主になった古雑誌専門の『マガジン』、ポスト通りを曲がってすぐの『カヨ書店』はヴィンテージ・ペーパーバック専門店でキュートな店構えがぼくのお気に入りだ。『オン・ザ・ロード』の初版ペーパーバックに安価で出くわし、腰が抜けそうになったことがある。サター通りを街の中心に向かえば古本屋が並んで見つかる。ユニオン・スクエア古書街だ。挿絵入りの本が豊富な『アルゴノウト書店』、ヴィンテージ絵本が充実している『ブックス・テール』などなど。ゲイリー通りまで下がれば、ギャラリー風の店構えの『ゴールドワッサー書店』がある。サリンジャーやスタインベックを扱うモダンファースト専門店だ。悲しくも『アメリカの鱒釣り』初版はモダンファーストの部類に入らないので見つかるはずがない。

で、ここまで歩いて『アメリカの鱒釣り』はあったのか。あった。だけど、初版はない。九、七、六版とじょじょに初版に近づくのだが、初版には届かない。ちなみにそれらの値段は一冊十ドル以下だ。ぼくは口惜しいので全部買った。そして、『芝生の復《ふく》讐《しゅう》』や『西瓜糖の日々』といった他のタイトルも全部買った。ちなみに表紙には必ずそのとき、付き合っていた女性とのツーショット、もしくは女性だけのワンショットを載せていたブロォォォオオオティガン。『芝生の復讐』の表紙に写る黄金色の髪をした女性の美しさといったらとびきりだ。ぼくのかばんの中はそんな美しい女性たちで埋まっていくのであった。

にぎやかなマーケット通りまで下って、ターク通りの入り口まで行くと、朽ち果てそうな古さで、迷子になりそうなくらいに広い『マクドナルド』がある。まるでゴミ捨て場から回収してきたような本ばかりを置いている古本屋だが、たまに掘り出し物があるから、覗きに行く。店主のマックに手を振って「ブロォォォオオオティガン、あるかな」と聞くと黙って首をすくめた。期待したぼくが悪かった。

ノースビーチの『カフェ・トリエステ』で一ドル五十セントのカフェオレとチーズロールで朝食を済ませたぼくは、ブロォォォオオオティガンが暮らしたそのノースビーチを歩くことにした。

『アメリカの鱒釣り』の表紙になったワシントン・スクエアとベンジャミン・フランクリン像。通りの向かいには文章にも登場する『コイト酒店』がある。ちょいと歩けば、生前、ブロォォォオオオティガンが酔っぱらって『アメリカの鱒釣り』を柱に引っかけたままになっている『サルーン酒場』が見つかる。

歩けば歩くほど、ブロォォォオオオティガンのでたらめなセリフや文章が、あたかも見えないものを見せようとするようにぼくの頭を駆け巡る。もちろん、ノースビーチにも古本屋はある。『キャロル書店』と、バークレーに本店がある『ブラックオーク』だ。どちらもその土地柄、ビート系には強いのだが、なぜか、ブロォォオオティガンはなかった。おーい、アメリカの鱒釣りちんちんくりんやーい。

ミッションエリアにある『アドビ書店』は、自然光が射し込む気持ちのいい古本屋だ。猫が店内に置かれたソファーでいびきをかいている。そして、その並びの『アバンドン・プラネット』では、アヴェドンの『オブザベーション』が四十ドル。思わぬ掘り出し物に出くわした。「ユー・ハブ・ブロォォオオティガン？」ぼくのブックハンティングは終わらない。ヘイト通りにある二、三軒の古本屋にも足を伸ばしてみた。結果はどうか。サード、フォースと今度は版が遠ざかっていく。

「バークレーの『セレンディピティ書店』は行ったかい？」「え？」「あそこなら、たぶんあるぞ」『フォレスト書店』のフランクは言った。親切な彼はすぐさま目の前で電話をして、在庫を確認してくれようとする。ぼくはそれを止めた。「自分で行って探してみたいんだ」「オーケイ、オーケイ、グッドラーック」彼はうれしそうにぼくを見て笑った。

バークレーの『セレンディピティ書店』。六〇年代、学生運動の際にブロードキャストを配布するなどして、最も革新的な活動のベースとなった古本屋である。ぼくはその名を知るも、今までどうしても場所がわからず、たどり着けずにいたのだ。フランクが書いてくれた地図を握りしめ、ぼくはBARTに乗り込んだ。

その場所はあまりにも意外だった。バークレーはぼくの大好きな街なので、多くの古本屋はくまなく廻っていたが、『セレンディピティ書店』はシャタック通りをはさんだ海側に位置していて、それも駅からかなり離れているのでわからないはずである。ぼくの胸は高鳴った。ただでさえ、初めて行く古本屋は何から何まで自分にとってファーストチョイスで愉しいのに、やっと『アメリカの鱒釣り』の初版にも会えそうなのだ。自然と足は早まる早まる。バークレーの真っ青で長い空を仰ぐ。

「あったあ！」酒樽《さかだる》の看板が目印の『セレンディピティ書店』。ステップを踏んで中に入ると、やっぱり古本の匂いでいっぱいだった。「ハッロウ、アイアム・ナンシー」感じのいい小柄な女性が声をかけてきた。「何かお探し？」と聞くので、ぼくはこの旅で何度も繰り返した言葉をここでも言った。「オーライ、ついてきて」『セレンディピティ書店』の広さは生半可ではなかった。くわえて、その本棚の大きさといったら、高さが十メートルは優にあるのだ。「あなたが好きなのはビートね」「うん、まあそう……」「そう思ったわ」まるで倉庫のような店の奥の奥にとぼくを案内するナンシー。「さあ、ここがブロォォォオオオティガンの棚よ、テイク・ユア・タイム」彼女はぼくの肩をポンと叩《たた》いて姿を消していった。

こんなことは初めてだった。一人の作家の本で大きな本棚がひとつ丸々埋まっているのだ。目の前は全部ブロォォオオティガンなのだ。トロウト・フィシン・ナメーリカ。ぼくは口ずさみながら棚に手をやる。そこには厚さが一センチに満たない『アメリカの鱒釣り』だけで、両手を広げたくらいの在庫があった。ぼくは一冊いっさつ、その版を調べる。フィフス、サード、セカンド……。自然と手が震える。その間、時間がどれくらい経ったかわからない。何冊あったかもわからない。だけど、ぼくは全部のページを広げて初版を探した。しかし……。おーい、アメリカの鱒釣りちんちんくりんやーい。

ぼくは幸せだった。初めて行った『セレンディピティ書店』ではたくさんの買い物ができたし、ナンシーという凄腕《すごうで》書店員にも会えた。そして、シスコの主だった古本屋を巡って一冊の本を探して歩く今回の旅も最高だったからだ。

ブロォォオオティガンには逃げられたが、いうならば、これからもシスコに来る目的が残ったということだ。古本の宝庫、シスコ。今回は、爽やかな風に恵まれ、あたたかく親切な人と出会ったブックハンティングの旅だった。ありがとう、ありがとう、ぼくは帰りの BART の車中でそうつぶやいた。どうしてか、その日の夕陽は目にしみた。景色は最高に美しかった。

世界旅行の夜

ポストカードサイズの赤いアクリルに、いくつものサイズにくりぬかれたハートが並んでいて、それぞれのサイズが記されている。これはいろんなサイズのハートをきれいに描くための定規。このハートの定規をぼくにくれたのはサンフランシスコに住む女性だった。彼女はサンタモニカの大学を出てから、小さな印刷会社でグラフィックデザイナーとして働いていたが、上司とうまがあわず、二年で辞めてしまい、今はサンフランシスコで細々とデザインの仕事を一人でやっている。

サンフランシスコに行くと、必ず泊まる『CROWN』という安ホテルがあり、彼女がパートタイムでバイトをしていたのが、その隣にあったチャイニーズレストラン『金龍』だった。毎晩、夕飯をそこで食べていたぼくはすぐに彼女と顔見知りになり、会えば言葉を交わす仲になった。より仲良くなったのは、ぼくが日本から持ってきた雑誌を片手にご飯を食べていたら、「その雑誌、よかったらあとで見せてくれない？」と彼女が声をかけてきてからだった。彼女はいつもボサボサのショートカットで、大きめの服ばかり着ているので、きゃしゃな身体が服の中で踊っているようで、後ろ姿は街でよく見るスケーターみたいだった。

彼女がぼくに旅のハナシをするようになったのは二人にとって三日目の夜からだった。

学生の頃から世界中を旅行してきたという彼女がベッドで聞かせてくれる旅のハナシは思いもよらず面白かった。イタリアのボローニャの駅弁がとても不味かったとか、エジプトのルクソール神殿はその村の子供たちの落書き帳になっていたとか、コペンハーゲンで宝くじを当てたとか、パリで泊まったゲイ専門ホテルの夜のハナシとか。次から次へと続くそんなハナシのおかげで、彼女と過ごす夜はまさに世界旅行の気分だった。

そして、ぼくが日本に帰る前の晩、彼女がしんみりと「あなたの旅の無事を祈って」とくれたのが、このハートの定規だったのだ。

あれから、もう七年も経つのだが、いまだに彼女は行った旅先から葉書をぼくに送ってくる。バングラデシュ、ハワイ、パタゴニア、ルーマニア……。ぼくはそれを手にするたび、また彼女から旅のハナシが聞きたいと思うのだ。そして、またサンフランシスコに旅立つのだった。

見つめあったサンフランシスコ

いわゆるアメリカン・ブレックファストが食べたくなって、ぼくはリヴェンウォースからサタースートリートを右に曲がって、すぐ左側にある小さなカフェテリアに入った。そこはアメリカ映画に出てくるドライブ・インのような店だった。入り口に近いソファーに座ったのは、道行く人や真夏のサンフランシスコの陽射しを眺めていたかったからだ。

「コンチワ、何にいたしましょうか？」

目の周りを真っ青にメイクした金髪のウエイトレスが、遠い景色を見るような目つきでオーダーを取りにきた。ぼくは彼女の目をまっすぐに見つめて「ブレックファスト、卵は目玉焼き」と答えた。ウエイトレスはクルリと踵《きびす》を返し、下着の線がくっきり見えたヒップを見せながら忙しそうな足取りで奥に戻っていった。店内のスピーカーからはGREEN DAYが流れていた。

すぐに、なみなみとコーヒーを注いだポッタリとしたマグカップが運ばれてきた。ぼくは湯気の立つ、その薄いコーヒーを口にしながら、ガラス越しの景色を見つめる。ふと外を歩くホームレス風の黒人と目があった。理由はないが、ぼくは彼から目線を外さなかった。彼も足を止め、負けじとこちらを見つめる。しばらくの間、二人はマンガでよくある目と目が点線でつながっている状態が続いた。「もうやめようよ」ぼくが心の中でつぶやいた途端、彼は一瞬ニヤッとして「じゃあね」というような素振りをして歩き去った。ぼくも自然と一人ニヤッとしてコーヒーをもう一口飲んだ。

「ハラペコさん、おまたせ！」

目玉焼き、炭化寸前のベーコン、大盛りのマッシュドポテト、CDサイズのトースト、そしてバターとジャム、オレンジジュース、そのすべてを盛った大きなプレートが、ドンと目の前に置かれた。目玉焼き以外はすべて冷めきっているのが一目でわかった。ぼくは唯一あたたかい、卵の黄身を崩して、指で摘《つま》んで持ったカチカチのベーコンですくった。トーストも同じようにして食べた。そんな風にまさにアメリカンなブレックファーストを、ぼくは黙々と不満な顔も見せず、外の景色を眺めながら楽しんだ。

残すことなく食べ終え、ボーッとしながらタバコを吸っていたら、通路をはさんだ真横のソファーに座った女の子二人組のうちの一人が「ライター貸してくれる？」と声をかけてきた。ぼくは「いいよ、どうぞ」と日本から持ってきていたＢｉｃライターを彼女に渡した。彼女は立ったまま自分のマルボロに火をつけ、はにかみながら「ここに座っていい？」と言い、ぼくが答える間もなく、目の前に座った。あっちのソファーに残された友人であろう女の子は横目でこちらをうかがいながらクスクス笑って雑誌を眺めている。

「わたしたちカナダから来たの」

黄金色をしたロングヘアを指で遊びながら彼女は一人淡々とハナシを始めた。彼女の英語がいまひとつわからないぼくはコーヒーとタバコを交互に口に運び、彼女をじっと見つめながらつたない英語で会話を続けた。

このサンフランシスコに、一人で来てからすでに十日経っていた、その日、ぼくは久しぶりに三ドルのアメリカン・ブレックファストを食べ、カナダから来た女の子と見つめあってキスをした。

ぼくがもう一度シスコへ行く理由

サンフランシスコ・シティから北へ車を三時間走らせて向かった先はグインダという小さな村でした。国道から逸《そ》れる小道の目印に、手書きの地図に書かれていた「大きなピーカンの木」がそびえ立っていて、あ、ここだ、ここだ、と迷わずに到着できました。真っ白な雲が泳ぐ雄大な青空の下、くるみ並木に囲まれたガレージと母屋の外には、フランクさんとお母さんが。二人はにこやかな笑顔で出迎えてくれました。

「シスコに行くなら、ぜひ、訪れてみてください」友人のSさんから何度となくすすめられていた場所に、ぼくはやっと来ることができたのです。すごくうれしい。

『MURRAY SPACE SHOE』。世界で最も履き心地の良い靴を作ると名高い靴工房、その唯一の継承者であるフランクさん。友人が自分の大切な友人を紹介してくれることほどうれしいことはありません。ですので、ぼくは初めて会ったフランクさんにSさんを重ねてしまって、この地で待っていてくれたのはフランクさんでもありSさんであったようにも思えました。二人の笑顔はとても似ていたのです。

レイモンド・マンゴーの『就職しないで生きるには』の中に『MURRAY SPACE SHOE』のことがこう書かれています。「履いてわかるビルケンシュトックやアースシューズなど比べ物にならないその快適さ。そして、一目見ただけでこの地球上で最も自然な靴が『MURRAY SPACE SHOE』」

フランクさんは訪れたぼくを工房であるガレージに案内してくれました。そこには数々の『MURRAY SPACE SHOE』のサンプルが並び、また、世界中からここを訪れた顧客の石膏《せっこう》足型が数百と並んでいました。『MURRAY SPACE SHOE』で一足の靴をオーダーすることは、まずここで「王座」と呼ばれる椅子に座り、フランクさんに足を石膏で包んでもらい、自分の足型を作ることから始まります。そして、デザインや素材を選び、一カ月待っていると足のカーブにぴったりあった、まるで天に昇る心地良さで、おまけに信じがたく堅牢《けんろう》な自分だけの一足が出来上がるのです。

「さあ、作ろうか」フランクさんは静かにその儀式の準備を始めました。同行した知人はどんなデザインにしようか楽しそうに迷っています。ぼくはどうしようか迷いました。作ろうか、いや、作るのはよそうかと。あれれ、こんな遠くまでわざわざ来ておいて、靴を作らずに帰ることが、どれだけおかしいことか。しかし、なんとなく気が進まないのです。これほどに素晴らしい靴は絶対欲しい。そして、大好きな友人が紹介してくれたのだからもっと……。

上手く説明できませんが、ぼくにはやぶからぼうに突然訪れて、簡単にこの靴を作ってはいけないように思われたのです。それくらいフランクさんの作る『MURRAY SPACE SHOE』は愛情深く作られる素晴らしい靴だと感じたのです。

ぼくは「もう一回来よう。そのときに作ろう」と思いました。今回はフランクさんと彼の作る『MURRAY SPACE SHOE』と出会えただけで幸せだったのです。「もう一度来ます。そのときに作ってください」こう告げるとフランクさんは「いつでもおいで」とやさしくうなずいてくれました。次回来るまでにぼくはどんなデザインで、どんな色や素材で、どんな風に作ってもらいたいのかしっかりと決めておこうと思いました。

フランクさんから聞いてとても感動した言葉があります。

「一カ月間、一足の靴をどんなことを考えながら作るのですか?」と質問をした答えです。「その人の足型を作るときにさわった足の感じ、そして何よりもその人と一緒にいた時間を思い出しながら作るのです」

サウサリートのハンバーガー屋

リトル・プレス『ムーンライト・クロニクル』最新号をシティライツ・ブックストアで買い、その足で二、三軒、本屋を散策し、ワシントン・スクエアのベンチでぼんやりする午後がお気に入りだったりします。ひなたに身体を預け、なんにも考えず、そこにある変わらない景色に安心する感じ。そういえばこの空気感は、富ケ谷にあるフレッシュネスバーガーの居心地と似ています。知る人ぞ知る、あの掘っ立て小屋のことです。

で、つい先日、その掘っ立て小屋から始まったフレッシュネスバーガーの原点がサンフランシスコのサウサリートにあると、人づてに聞いたので、今日はちょっとその足を伸ばし、どんな原点がそこにあるか見てくることにしました。といっても、ここからすぐそこのこと。向かいにあるブローティガン行きつけだったコイト酒店を横目に通りを十分も歩けば、ピア41にたどりつきます。サウサリートへはここからフェリーに乗って行くのがいい。運航は一日に数本しかないのですが、すぐに乗れ、しばしサンフランシスコ湾クルーズ。アルカトラズ島を過ぎ、ティブロンという街を経由し、サウサリートへは三十分で到着。

ここはヴィクトリア朝様式の住宅が並ぶ、かつての漁師街で、海岸沿いの通りは観光客向けのショッピングエリアになっています。ハンバーガー屋は一軒しかないからすぐにわかるらしい。そう聞いていましたが、あの掘っ立て小屋の原点となる風景とほど遠いここに、本当にそんなハンバーガー屋があるのでしょうか。そう思っていたら、すぐ目の前にグリーンのテントに『HAMBURGERS』とだけ書かれた店がありました。小《こ》洒落《じゃれ》た小さな店。もしやと思い、中へ入ってみる。

ガラス張りになったキッチンの中ではメキシコ人のコックが、大きくて分厚い鉄板に、肉のかたまりをバンバン放って、ジュウジュウ焼いています。どういうわけか火柱がボワボワと上がります。全然こじゃれてないその様子に圧倒され、じっと見ていると「何か用か、アミーゴ」とコックに聞かれました。ぼくが「ハンバーガーをひとつ。アミーゴ」と答えると、コックは「待ってろ、アミーゴ」とウインクしました。火柱がまた目の前でボワッと上がりました。

「うちのオーナーは十一年間、アルカトラズ（刑務所）でハンバーガーを焼いていたんだ。で、六三年に閉鎖されてからここに移ってきた。だから、ウチのはアル・カポネも食べてんだ」アミーゴなコックは自慢気にこう言いました。周りはカリカリに焦げているが、中身は口の中で肉のうまみがジューシーに広がりメチャメチャ美味い。もちろんソースはメキシカン。なるほど、目の前で一つひとつ分厚い鉄板で焼き上げるハンバーガー。鉄板に上がる火柱の奥では、アミーゴの笑顔があり、客の誰もが自分の分が焼き上がるのを楽しみに待っています。そんな街の小さなハンバーガー屋。うーむ、こんな店をぼくもやってみたいと思いました。

サンフランシスコのブックマン

バークレーの古本屋を散策していて、なんとなく仲良しになった男がいます。彼の名はペゴラ。正直、まだ数軒の本屋を覗きたかったのですが、テレグラフ・アヴェニューの『シェイクスピア書店』の斜め前にあるコーヒースタンドに、誘われるまま彼と小一時間おしゃべりをしたのには理由がありました。思いのほか、彼のハナシが愉快だったのです。

彼いわく、職業はブックマン。そのブックマンとはなんだ、と聞くと、スノッブを気取る人たちのオフィスや自宅の本棚に収める本をコーディネートする仕事だと、フフンと鼻を鳴らして言いました。くわえて、聞いてもわからないマイケルなんちゃらなど、著名人らしき名前をつらつらと並べ、彼らの家の本棚に収まる本はみんな自分が選んだんだ、と胸を叩いて言いました。ぼくは一ドルの薄いコーヒーでのどを濡らしながら、へーっと思い、その仕事ぶりを聞くことにしました。

「洋服や家具をカッコよく揃えられても、本まではお手上げなんだよね。でも、みんな、カッコいい本棚がステイタスと思っているから、自分のスペースに自慢の本の景色が欲しいってわけ。そこで、ぼくの出番。彼らと一週間から一カ月、ランチを共にして、あーだこーだと雑談三昧。で、あとは部屋と本棚を見せてもらって本を選ぶ。で、そのセレクトした本を棚に揃えてしまったら、後はそれをきっかけに本を楽しんでくださいってワケ。だから、ぼくの仕事は、ランチでおしゃべり、本を選ぶ、本を収める。これの繰り返しさ。大切なのは、その人が後々、揃えた本を存分に楽しめて、そこから本との新しい出会いや発見を見つけられるようにすること」

ペゴラのハナシを聞けば聞くほど、ぼくは彼の本棚が一体どうなっているのか気になりました。彼の口から次から次へと出る本のタイトルに、只者《ただもの》ではないセンスが溢れているからです。「アヴェドンの『オブザベーション』の隣に、ボールドウィンなんか置いたらダメ。ブローティガンの初版をさりげなく置くのがいいんだ。で、その隣に、ランボーさ。このつながりがビューティフル」彼の本棚は余程素晴らしいコレクションに違いない。ぼくの胸は高鳴るばかりです。

ペゴラの家はノースビーチからチャイナタウンに少し歩いた坂の途中。お香の香りがする広いステューディオ。そこには部屋中に溢れる本の山、いや、山脈の連なり。しかし、これらは全部、仕事用の在庫だと言います。「君のプライベートな本棚はどこ？」早速、聞くとペゴラがニヤけて指差したのは、汚れたキッチンの脇にある、壁と壁のすきまにできた高さ二メートル、幅五十センチの小さなスペース。そこに収まっている本を見てぼくは驚きました。いつの日かわからないニュースペーパーとゴシップマガジンにエロマガジン、メイルオーダーのカタログが無造作に突っ込まれ、履き古したアディダスのカントリーがブックエンドになっています。絶版写真集やアートブック、モダンファーストなんかありゃしない。コレクションどころではないのです。唖然《あぜん》とするぼくの顔を見てペゴラは口笛を吹きながらこう言いました。

「ここがぼくの愛する本棚さ」

ぼくはその光景を見て思いました。本を愛し、誰かのために本を選ぶ仕事をするペゴラは、人に必要とされて、それで喜んでもらえることだけで充分に幸せなのだ。コレクションなどなくても、自分を本が通過するだけで満足なのだ。そんな、本と人の出会いを作るのが彼の言うブックマンです。

「大切な一冊はみんな誰かの家の本棚にあるよ。もう一度読みたくなったら遊びに行けばいいさ」ペゴラはベッドに寝ころびながらビールを片手にウインク。

ぼくをつくる旅先の出会い

キスしたい。ずっと前から好きだったのかそれともたった今、好きになったのか。突然、そう思うことがあります。初めてのキス。指先は震え、目と目が近くなって知るその人の匂い。ぼくは柔らかな髪に指を入れ、そっとくちびるをあわせる。かすかにあわせてみる。突っついたり、はさんだり、吸ってみたり。乾いていた二人のくちびるはいのちという潤いに溢れていく。

ノースビーチにある『トリエステ』というカフェを最初に訪れたのは、ぼくが二十歳の頃です。早起きしたぼくは一ドル五十セントのカフェオレを買い、外に置かれたテーブルに座りました。そこから見上げた空は真っ青なインクを筆で大きく塗ったような色あいがあって、鼻先をそよぐ風が今日一日の始まりを知らせるのでした。ここは気持ちいい。

そんな『トリエステ』で、ある夜、一人ポートワインを飲みながら読書する女性を見つけました。長い赤毛、そばかすだらけのほっぺた、瘦《や》せた小さな猫のような身体。そして、本に注ぐその瞳は清潔で美しかった。ぼくは読んでいる本が気になり、その背表紙に目をやると『アナイス・ニン』という文字が読めました。「あ、ぼくも好きな一冊です……」傍らに立って小さくつぶやくと、女性はチラリとぼくを見て、照れたように肩をすくめました。その女性を見かけたのはそれきりでした。

それから一週間後の夜、ぼくは一軒のストリップ・バーに行きました。ノースビーチ最後の夜を一人にぎやかに過ごそうと思ったのです。いや、実を言うと、旅の寂しさに胸元まで浸っていた気分をちょっと晴らそうと思ったのでした。

十五ドルのジンジャエールを注文し、ステージのヌードダンサーをぼうっと眺めていたら、トントンと誰かが肩を叩きました。振り向くとあの赤毛の女性でした。それもトップレスで。

「プライベートダンスどう？」明るく誘う彼女。ぼくに断る理由はありませんでした。カーテンのある部屋のソファーにぼくを座らせた彼女は「キスしていい？」と聞き、くちびるをそっとあわせました。それはまるで恋する二人が初めてするキスのようでした……。

彼女がくちびるを離したとき、ぼくの目には涙が溢れました。自分でも驚くほど、涙がポロポロと流れるのです。気づいた彼女もびっくりして「大丈夫？」と言いましたが、すぐに「泣いていいわ」と耳元でささやきました。彼女がくれた甘美なキスには、ぼくのここ何日間かの堪え難い孤独というトンネルを抜け出させてくれたぬくもりとやさしさがあったのです。今でも忘れられない二度となかった彼女とのキス。旅先で出会うささやかな運命。それは今のぼくをつくるすべてなのです。

アップステートで聞いた水の音

マンハッタンからハイウェイを北に三時間、車を走らせて訪れたニューヨーク州のアップステート。友人が所有する農家に遊びに行ったのは、初秋のつむじ風が舞う肌寒い日だった。そこはおそらく一九世紀に建てられたのであろう、重厚な白壁にほどよいダッチ・スタイルの模様が施された母屋と、牛やにわとりを飼育する小ぢんまりとした小屋が、見渡す限りの広大な土地にポツンと点を落としたかのように建っていた。そして、どこから聞こえるかはわからなかったが、近くから心地良く水の流れる音がわずかに聞こえていた。

きんとん色をした陽射しの中、澄んだ空気を胸いっぱいに吸い込み、足下に敷かれた落ち葉を踏みながら、大きな背伸びをして「気持ちいいなあ」と一言。友人は週末を楽しむだけにこの農家を使用しているとのこと。いわば、ここは彼の別荘なのだ。そこに友人はぼくとのドライブがてら寄ってくれたのだった。ニューヨーカーにとってアップステートの古い農家を買い取り、別荘として使うのは、ある意味、ステイタスでもある。

「部屋を見せるよ」友人はぼくを母屋に招き入れ、各々の部屋をわずかな説明とともに案内してくれた。どの部屋もきれいにリフォームされ、外観からは想像できないほど、モダンなインテリアが施され、それはそれで、この地域特有の淋《さび》しさを忘れさせてくれるあたたかい空間ばかりであった。

「ここは書庫だったらしく、本がそのままだったから一切手をつけずに残してあるんだ」友人は二階の奥にあった小さな部屋のドアを開けて、こう云った。ふたつの壁に手作りであろう大きな本棚が天井近くまでそびえ立ち、そこに本や雑誌がぎっしりと収められている。ぼくは思わず、本棚近くに寄って、ほこりまみれの棚にそっと手をやり、整然と並んだ本の背中を指でなぞった。その多くはどこかのブッククラブから出版されたスタインベックやフォークナーといった近代文学書ばかりだった。おそらく千冊はあるだろう。きっとマンハッタンの古本屋が見れば驚愕《きょうがく》するタイトルの初版本ばかりだと、すぐにわかった。棚の半分を占める雑誌は『LIFE』や『NATIONAL GEOGRAPHIC』といった定期購読誌が多かった。一番新しい年号を探すと一九五七年十月とあった。そのときからこの書庫の時間は止まったままなのだ。「なんでも好きなのをあげるから、一冊選んでいいよ」友人はあまりに夢中になって本棚に目を走らせるぼくにあきれて、こう云った。

誰もいないけれど、そこは確かに誰かの体温が感じられる部屋だった。そこから本を抜き取ることなど、ぼくにできるはずがなかった。元の持ち主はこの陽射しの入らない小さな書庫で、本に囲まれてどんな時間を過ごしたのだろうか……そんなことを思いながら、ぼくは部屋の隅に置いてあった背椅子に座って、そこから丁度よく見える窓の外に目を向けてびっくりした。なんと、木々の間から小さな小川が見えたのだ。そして思った。「なんて美しい景色なんだろう！」あの水の流れる音はこの小川だったのか。

もし、ぼくがこの家の主人であれば、間違いなくこの部屋を書庫にしたであろう。そして、この小さな景色を楽しみ、小川に流れる水の音を耳にしながら、ゆっくり読書したであろう。

ぼくはしばらく背椅子に座ったまま、少しだけここの主人と同じ心地良さを味わえた気がした。それだけでうれしかった。

十一番街の横丁を曲がるとすぐに見えるMoMAの色彩あざやかでグラフィカルな垂れ幕。ぼくはニューヨークに着くと、あたかも昔なじみの友人に再会するようにまずはMoMAを訪れる。

「寂しくなったらエンパイアに上がり、街の灯を見るんだよ」五十四丁目にある『MONKEY BAR』のマティーニ作りが名人のおじいさんはこう言うけれど、ぼくにとって、MoMAは休館日の水曜日が自分にとっての休みにもなるってくらいの存在なのだ。「パラララ〜」とバスキアがトランペットを吹きながら颯爽《さっそう》とMoMAの前を通り過ぎた頃のことは知らないが、最近だったらピカソの『髪を編む女』の前で、よく見ようと眼鏡をはずす人や、『マチスの部屋』から二時間以上出てこない人が、一日に何人いるかをぼくは知っている。木曜日の夜は「I LOVE NY」とプリントされたビニールバッグを入り口で見せればタダで入れるってことを「ブルーミングデールの回転扉が一日に何回まわるかを知ることよりも大切な秘密なんだ」と教えてくれたのは、消防署に見学に行った帰りの小学生の男の子だった。おまじないだってある。シャガールの名作『誕生日』の前で、好きな女の子にバースディプレゼントを手渡せば、必ずや結婚できるとか、スカルプチュア・ガーデンで歯を磨くと虫歯が治るとか。そのくらいぼくは

MoMAのことをよく知っている。

そして、現代美術の重要な作家の作品では質・量ともに群を抜くMoMAこと、この『ニューヨーク近代美術館』所蔵作品の中で一番大好きな作品は、アンリ・ルソーの『夢』である。ソファーで寝そべった裸婦のまわりには、木の枝や葉、果実や巨大な花、鳥、ライオン、蛇が模様になってうごめき、蛇使いは陽気に笛を奏でる。ルソーにとって頂点をきわめた最大の傑作である。そして、何よりもぼくの心を奪ったのはジャングルを青く照らすように描かれた月だった。何を隠そう、今までぼくが知る美しい月の中で『夢』に描かれた月こそが一番美しいと思う。この月を見るために何度ぼくはMoMAに足を運んだだろうか。理屈ではない。目にすれば心に安らかな音楽が聴こえ、その気持ち良さが日常からのトリップを静かに誘うのである。

ワンブロックごとに見える違った風景。人が行き交い、言葉が触れあう街マンハッタン。アンリ・ルソーの『夢』こそ、旅先で出会ったぼくの安らぎだったのだ。

3

びばびば

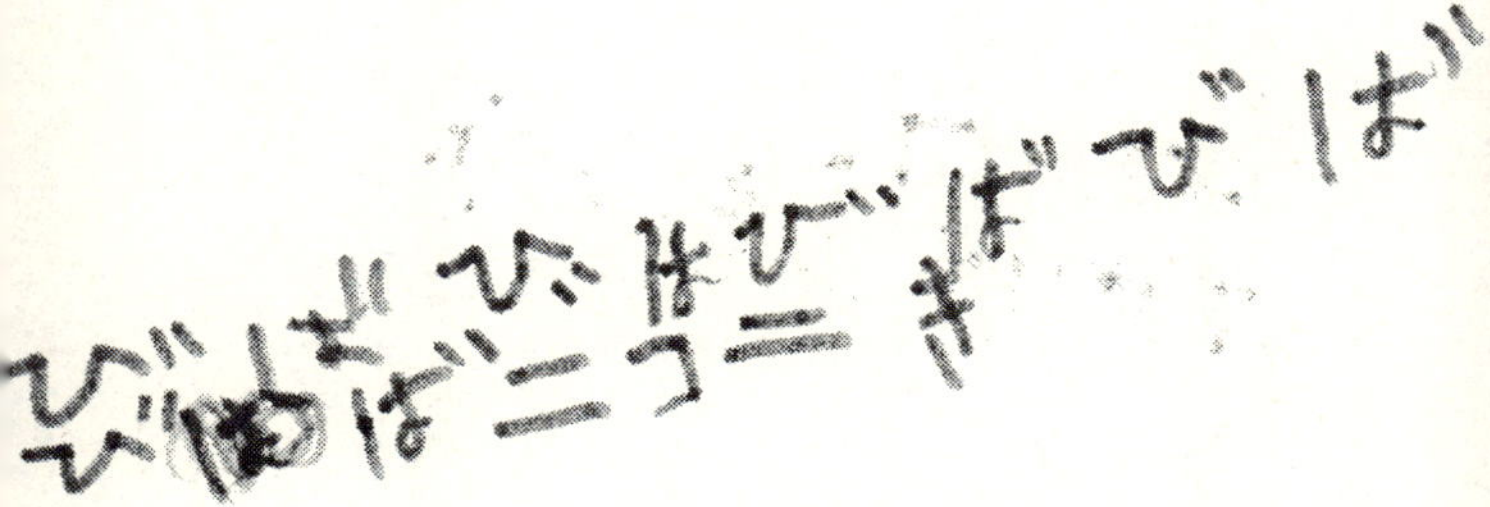

ビバビバ日記

わたしは三歳。名前は松浦にこです。ジジは本屋で物書き。母は専業主婦。一番仲の良いともだちはひとつ年下のフウカちゃん。ジジというのは父のことです。いつからかわたしは父をジジと呼ぶようになってたのです。最近のニュースは春から幼稚園に入園すること。そして、四歳になることです。それはそれでとても楽しみです。しかし、もちろん不安はあります。ジジは「大丈夫、大丈夫」と言いますが、幼稚園に行くのはジジではなくわたしなのです。ジジにはそれが全然わかっていないのです。

そんな近況は置いておいて、これからしばらくジジである松浦弥太郎とわたしの日常を、日記のように書いていきますので、どうぞよろしくです。また、いつもジジがお世話になっています。ありがとうです。

旅好きのジジは、休日になるといつもわたしをどこかに連れ出そうとします。わたしはまだ三歳で、あまり長い距離は歩けないので、そんなときはいつもビバビバで出かけます。ビバビバって？ 実はわたし、ベビーカーのことをビバビバと呼んでいるのです。なぜかというと、小さい頃、というか一、二年前。わたしは「ベビーカー」と、上手く言えなくて、なぜか「ビバビバ」と呼んでしまい、それがそのまま今に至っているのです。わたしはそんなビバビバでジジと出かけることが大好きです。座っていれば押してくれるからラクチンだからです。とはいうものの、ビバビバで出かけるといっても普段は近所ばかりです。

日曜の午前中。わたしとジジはお決まりのマックで朝食をとります。わたしは必ずハッピーセット。オマケのオモチャがあるからです。セレクトはナゲットとオレンジジュース。ジジはコーヒーのみ。ジジはお肉と油ものを一切食べないのです。そのあとは、レンタルビデオ屋に行って、借りたビデオを返して、また新しいビデオを借ります。いつも三本借りています。わたしのお気に入りは『コジコジ』『メイシー』『ノンタンといっしょ』です。そして、それが済むと、レンタルビデオ屋の隣にある大きな古本屋に行きます。ここはわたしが行きたいのではなく、本好きのジジにわたしが仕方がなく付き合っているのです。ジジはいつもウロウロと店の中を歩き廻っていますが、あまり本を買ったところを見たことがありません。きっと本屋にいるのが好きなだけなのです。そして、わたしとジジは家に帰ります。

途中、小学校の脇の道で、わたしはきれいな色の落ち葉を拾って帰ります。同じカタチや色が一枚もないのが楽しいのです。そして、ビバビバに乗ったわたしは、大きな川を渡る橋の真ん中で川面を眺めるのです。わたしは川の景色が大好きです。放っておかれれば、いつまでも川を眺めていられるくらいです。川の水の量がその日によって違うように、川面に映る空の色、その景色が見るたびに変化するのが素敵に思えるのです。

わたしはそういった日常の中にありながらも日々変化する自然を見つめることに小さな喜びと幸せを感じるのです。ジジも同じようにいつまでも空や川の景色を眺めています。どうしてわたしのような小さい子供は、高いところから遠い景色を眺めたりすることが好きなのでしょうか。そこには何が見えるのでしょうか。自分でもよくわかりません。そんなとき、いつも一緒にいるジジを見ると、ジジはわたしの父というより、わたしと同じように小さな少年のように思えるのです。そこには、仲の良い友人同士の微妙な恥じらいのようなものさえ感じられます。そんな二人の姿は眩しい陽に照らされ、大きな影と小さな影になって川面に映るのです。「どんな大人だって、みんな昔は子供だったんだよな」ジジはわたしにこう言いました。明日の風はどこに吹くのでしょう。

わたしはたまにともだちのように思えるこんなジジとビバで出かけることが大好きです。そして、そんなひとときをできるだけ素直に書いていけたらと思うのです。春うらら。

早起きなジジ

　こんにちは、みなさんお元気ですか。わたしは元気です。花粉も平気です。この前、風邪で熱がちょっと出たけどすぐ治りました。

　今日からおかあさんがロンドンに旅行に行ったので、わたしはジジとずっと二人きりです。一週間も。ご飯とかお風呂とか洗濯とかどうするのかすごく不安だから、ジジに「どうすんのよ」と聞いたら「大丈夫、仕事休むから」だって。一週間、ジジは休み！やったあ！　ちょっとうれしいかも。沢山遊べる。

　でも、一日一回、ジジは会社に行かなくちゃいけないんだって。ビバビバに乗ってわたしも一緒に。それはちょっと憂うつです。だって、ジジの会社、すごく散らかっているから。前行ったときは本の匂いで臭かったです。あと、靴脱がないからわたしは嫌。なんか落ち着かないです。

　ジジは毎日わたしより早く起きています。わたしが目を覚ますともう起きているから、一体何時に起きているかわかりません。いつもコーヒーを飲んで、新聞を読みながらパンを食べています。で、わたしは起きてすぐにテレビの三チャンネルを見ます。見てるとジジがわたしの大好きな林檎《りんご》ジュースを持ってきてくれます。ありがとう。で、パジャマを着替える前に何かひとつ遊んでもらいます。だいたいは手を持ってもらって、ソファーをトランポリンみたいにピョンピョンとジャンプします。わたしはジャンプするのが大好きです。普通はこれで「じゃ、行ってくるね」とジジは仕事に行くけど、今日からは行かないのです。なので、ジジはその代わりに洗濯を始めました。そして、掃除機で部屋のゴミを吸い取って、片づけて、きれいにしました。ジジは勝手にわたしのオモチャを知らないところにしまうので、よくわたしと喧嘩《けんか》になります。わたしはジジが片づけを始めると大切なものがどこかに行ってしまいそうで気が気でなりません。

で、やっとお出かけです。わたしの家からジジの会社までは電車で二十分くらいです。ジジの会社は中目黒だって。駅からビバビバで五分です。

東横線です。わたしは電車で大きな多摩川を渡るときの景色を見るのが楽しいです。

「おじゃましまあす」わたしはジジの会社にいつものように靴のまま入りました。前来たときはおねえさんがいたけど、今日はいませんでした。あ、ギターがある。二本も。「にこが来るからきれいにしたんだよ」ジジはそう言いましたが、わたしが見るにこの前と全然変わっていません。本の匂いもしたし。ジジはパソコンを外して家に持って帰ると言ってあれこれしていました。部屋を見回すと、壁にはわたしの写真とか描いた絵とかが貼ってあってちょっとうれしかったです。わたしはジジが忙しそうにしている間に絵をたくさん描いてあげました。あと、名前の練習もしました。そして、ジジに手紙も書きました。「ありがとう、にこ」ジジはあまりうれしくなさそうにわたしの描いたものを受け取りました。わたしはそれにちょっとむかつきました。

ジジは重たい荷物を背負って、「ようし、次はロータスに行こう」と言いました。ロータスはこの前、おかあさんとジジとわたしの三人でケーキを食べに行ったところです。「やったあ」わたしはもう一回、ロータスのプリンを食べたいです。

今度は地下鉄に乗りました。ロータスに着いたら、お客さんでいっぱいでした。ジジは今、ロータスで本を売っているんだってさ。「わたしも絵本が欲しいよう」そう言ったらジジはミッキーマウスの絵本を買ってくれました。ロータスのおねえさんたちはみんなやさしくてわたしはロータスなら毎日でも行きたいです。もちろん、今日もプリンを食べました。オレンジジュースも。

「さあ、帰ろう」ジジはわたしをビバビバに乗せて、ロータスの人にさようならを言って外に出ました。外はすごおく寒かったです。ジジはわたしの身体を毛布でくるんでくれました。これなら風が吹いても寒くありません。ありがとう、ジジ。

帰りの電車は満員でした。わたしは電車の中があたたかくてすぐに眠ってしまいました。どのくらい寝たのかわかりません。目が覚めたときはもう家でした。電車は退屈なので寝て良かったなあと思いました。ねえ、ジジ、電車は寝ちゃえばすぐに家に着くんだね。もうお外は暗くなってきました。ジジは洗濯物をベランダから取り込んだり、あーだこーだとブツブツ言いながら忙しそうです。今日の夕ご飯はなんだろう。それを考えたらわたしはすごく不安になりました。あと六日もジジと二人きり。それは、うれしいような悲しいような気分です。明日もジジは早起きなのかなあ。

昨日はごめんね

こんにちは。松浦にこです。最近楽しいのは絵を描くことです。この前、やっと絵の具をおかあさんに買ってもらったのです。いろんな色の絵の具とお水を使って、真っ白な紙に筆で絵を描くのは新しいうれしさです。どんな色で、どう描いても自由な感じが楽しくて、今日も明日もあさってても、ずっとずっと描いていたいくらいです。筆に水をつけて、パレットの絵の具にちょんちょんとして描けば、いちご、にんじん、りんご、なんでも好きなものが描けます。筆についた絵の具をコップの水で洗うのも好きです。水の色が変わっていくのを見ていると面白いなあと思うのです。

昨日は雨でした。そして、とてもとても寒くて、風の強い日でした。雨は嫌いです。一日家にいなくてはいけないからです。だけど、その日はどうしても出かけたかったのです。なぜかというと、この前買ってもらったドレミちゃんの絵がついたピンクの傘を使いたくて、わたしはずっとずっと雨の日を待っていたのです。なので、わたしは新聞を読んでいるジジを誘うことにしました。「どっか行こうよ」「すごい雨が降ってるよ」「傘させばいいじゃん」「どこに行きたいの」「本屋さん」「傘さして自分で歩けるの？」「ぜったいがんばるから」

新しい傘はおもちゃではなくてホントの傘でした。わたしにはちょっと重くて大きいけど、ワンタッチでバシャと開くのが気に入っています。「大丈夫？」心配そうに聞くおかあさんに「大丈夫だよ」と答えて、長靴をはいて、レインコートを着て、リュックをしょって準備はオッケー。「ようし、がんばろう」わたしとジジは元気に家を飛びだしました。

「にこ、傘は両手で持って、前をしっかりと見ながら歩くんだよ」ジジはわたしにこう言いました。いつもは手をつないで歩くんだけど、今日は傘があるから手がつなげません。わたしは心細かったけれどがんばろうと思いました。外の風はぴゅうぴゅうと吹いて、何度もわたしの傘を飛ばそうとしました。でも、わたしは両手でしっかりと傘を持って、ジジの後ろをゆっくりと歩きました。途中で何度も、もうだめと思ったけれど、傘の内側を見るとドレミちゃんの絵が見えて、そんなかわいい傘をさしているのがうれしくて、楽しくて、ぎりぎりがんばって歩きました。

「にこ、がんばったね」わたしたちはやっと本屋さんに着きました。いつものようにビバビバに乗ってジジに押してもらえば、すぐの本屋さんですが、今日はとても遠くに思えました。わたしとジジは身体があたたまるまで本屋さんで遊びました。そして、わたしはトトロのトランプを、ジジは小さい本を一冊買いました。「さ、帰ろうか」外を見ると、さっきよりも雨と風が強そうです。わたしはちょっと不安になってしまってうつむいてしまいました。

本屋さんから出ると、やっぱり外はさっきより寒くて、雨と風で目が開けられないくらいでした。わたしはさっきみたいにジジの後ろを歩くようにしました。後ろにいればちょっとは雨や風に吹かれないからです。そうやって家まで、がんばって、がんばって歩こうと思いました。でも、手が冷たくなって力が入らないから、風が吹くたびに傘が何度も何度も倒れちゃいました。なので、途中でわたしはびしょ濡れになってしまいました。雨が横からも降るから顔まで濡れちゃって、水が目に入って、しみてきて、歩けなくなってしまいました。もう傘を両手で支える力もありません。「ねえジジ、わたし歩けない」するとジジは「もうちょっとがんばって歩こう」そう言って、わたしの傘をつぼめて、レインコートの帽子をかぶらせました。そして、「ほら手を貸して」と手をつないでくれました。

わたしは傘をしまってしまったことと、がんばれなかった自分が悲しくなって、ジジともう一度歩き始めたら、涙が出てきてしまいました。歩けば歩くほど、わたしは悲しくなって泣いてしまいました。やっと家に着くと、遠くから聞こえたわたしの泣き声に気がついたおかあさんがドアの外で待っていてくれました。それを見たらわたしはもっと泣いてしまいました。わたしたちは楽しく出かけたのに、けんかして帰ってきた二人みたいでした。

次の日、わたしはジジに「昨日はごめんね」と言いました。

笑顔であいさつ

こんにちは。松浦にこです。いつもありがとうです。みなさんがこれを読んでくれている頃、わたしは幼稚園に行っています。ということは、もうすぐ入園式ということです。みなさんは自分の入園式って憶えていますか。どういう風に憶えていますか。どきどきしましたか。どうか思い出してみてください。最近はそんな新しいことだらけの毎日です。

そういえば、この前、ジジとビバでいつものようにマックに行ったんだけど、そのときにジジがわたしに話してくれたことを書きます。

それは外国のハナシでした。ジジは昔、アメリカのニューヨークというところで暮らしていたことがあって、小さなアパートを借りていて、で、そのアパートの別の部屋に住むとても感じのいい外国人とともだちになったんだけど、その人がどんな仕事をしているかわからなかったんだって。だけど、その人は毎朝、質素だけど、とても清潔な格好をしてニコニコと笑って出かけるから、きっと堅実な仕事をしているとジジは思ったんだって。で、そんなある日、ジジが街を歩いていたら、その人が道のはしっこに立っていたから、こんにちは、と声をかけようと近づいたら、その人は両方のてのひらを胸の前に置いて、何かください、っていうときの姿勢をしていたんだって。で、ジジはなんか見てはいけないものを見てしまったような感じがして、その人に声をかけられなかったんだって。それからというもの、気になって、たまにその道を歩くと、必ずその人は同じ格好で立っていたらしいのです。朝、気持ちいい笑顔で「おはよう、元気ですか」と声をかけてくれて、夕方になるとまた笑顔で「こんばんは、また明日」。その人の仕事は毎日、朝から夕方まで、道に立っていることだったのです。ジジが言うには「それは仕事といえないかもしれない」。だって、それは道行く人に何かくださいお金をください、ということだから。仕事というのは誰かの役に立つことでお金がもらえることなんだって。

でも、ジジはすごく感動したらしいです。というのは、そんな仕事といえないような、もしかして恥ずかしいことをしているのに、その人はとっても明るい笑顔を持っていて、人に気持ちいい気分を与えているからだって。その頃のジジはすることがなく、たまにバイトをして生活していたんだけど、よっぽど、その人のほうが幸せそうだし、えらいと思ったと言います。で、どんなことをしていようと、毎日、他人に笑顔であいさつができて、背筋を伸ばして堂々と歩く生活が大切なんだなって、その人の毎日から教わったんだって。

わたしはフーンと思いました。じゃね。

はじめての映画館

こんにちは、松浦にこです。みなさんはシチューが好きですか。わたしはシチューが何よりも大好きです。でも、シチューは幼稚園のお弁当にはできないってお母さんが言うのでガッカリです。あとは冷たいおそばが好き。冷たいおそばもお弁当にはできないんだってお母さんは言います。どうして、わたしの好きなものはお弁当にはできないのかなあ。

この前、ジジとわたしは、はじめて映画館に行きました。観たのは『モンスターズ・インク』です。マックのプレゼントでもらった『モンスターズ・インク』のお皿セットはわたしの宝物です。なかでも目玉のマイクが一番好きです。サリーはちょっとこわいです。で、わたしとジジが行ったその日は日曜日でした。渋谷駅の近くの大きなビルの五階が映画館です。入り口に着いたらびっくり。だって、サリーとマイクがいるんです。サリーはジジより大きかったよ。マイクはわたしと同じくらい。わたしはびっくりしてこわくて近くに行けませんでした。でも、ジジが「動かないから大丈夫」と言うから、近くにそうっと行ってさわってみました。サリーはフサフサ、マイクはピカピカでした。それから映画館の中に入ってお菓子を買ってもらいました。ポップコーン大好き。わたしはなんだかうれしくってフカフカの廊下を走ってしまいました。「どこから入るの？」

たくさんドアがあるから迷ってしまいました。ジジとわたしは手をつないで大きなドアを、よいしょと開けました。「うわあ、まっくら」ほんとに真っ暗で何も見えません。わたしはこわくなって泣きそうでした。わたしはジジに手を握ってもらいました。そして、階段をゆっくり上がったら大きな大きなテレビにサリーとマイクが映っていました。わたしとジジはやっと椅子を探して座りました。大きな音が後ろのほうや、横のほうから聞こえてきます。わたしはもっとドキドキしました。だから、ジジにお願いして、ずっと手を握っててもらいました。でも、途中から真っ暗が少しずつ見えるようになって安心しました。そんな風にして、わたしは最後まで『モンスターズ・インク』を観ました。すごく面白かったです。わたしは映画館が好きになりました。ジジに「ドキドキしたね」と言うと、ジジは「うん」と言いました。帰りに映画館の下にある、あんみつのお店で冷たいおそばをジジと食べました。すごく美味しかったです。わたしは今日のことは忘れないと思いました。はじめてのことって思い出したらドキドキして、その気持ちにまたドキドキします。なんだか、恥ずかしうれしい感じ。

今度は自分で書くね

こんにちは。にこです。今、わたしは幼稚園に行ってます。幼稚園大好き。お唄を歌ったり、お絵描きしたり、なかでも粘土遊びは一番好き。そして、お弁当の時間。あのね、キャンディをおやつで持ってくるおともだちもいるんだよ。ほんとはいけないんだ。おともだちとバスに乗って出かけて、バスでおうちに帰ってくるのもなんだかわくわく楽しいの。カバンにセーラームーンのキーホルダーいっぱいぶらさげてるの。

毎日、楽しいことがいっぱいだから、いつもわたしはジジとおかあさんにそのおハナシをします。ジジはそれを憶えていてくれて、「あのことを書こうか?」と聞いてくれます。わたしはまだ「に・こ」と名前しか書けないから、わたしがおハナシしたことをジジがノートに書いてくれるのです。それがここのものがたりです。わたしは早く字が書けるようになりたいです。そうすれば、ジジに頼まなくても、自分でものがたりが書けるからです。わたしはたくさんのものがたりを知っているから、たくさん書いてたくさんの人に読んでもらうのが夢です。そして、わたしはお手紙をたくさん書きたいです。みなさんも字が書けるようになったら、わたしのようにあんなことやこんなことをしたいって思いましたか? ジジはわたしに「でも、一番大事なのは会って言葉でおハナシすること。そうすれば、いろんなことがわかるし、もっと楽しい」と言います。言葉は力持ちなんだってさ。いろんなものを動かせるんだってさ。「じゃあさ、字は力持ちじゃないの？」「あのね、字も言葉も自分の心だからおんなじ。言葉は遠くには聞こえないから字にしてお手紙に書いたりするんだよ。あと、本も自分のたくさんの言葉が集まったものだよね。まあ、目でゆっくり読むか、その人の声で聞くかがちょっと違うかな。でも、どっちもおんなじ力持ちだよ」「ふーん、そっか、心なんだ」字が書けるようになったら、すっごく楽しいんだろうなあ。なんてったってわたしの心だもんね。わたしは毎日おハナシして、毎日字を書きたいです。わたしはジジがどうしてこんなにたくさん字を書いてるのかが少しわかった気がしました。ジジはたくさんのおハナシをたくさんの人にするのが好きなんだ。だったら、わたしも！

あのね、幼稚園に行くようになったから、わたしもうビバビバには乗らないの。自分の足でどこまでも遠くに行けるよ。ころんでも大丈夫。疲れたらお休みすればいいじゃん。だから、今日でビバビバ日記はおしまいです。さみしいけれど、今まで読んでくれてありがとうです。みなさんさようなら。今度は自分で書くね。まつうらにこより。

松浦にこ／文筆家、松浦弥太郎の長女。父をジジと呼び、ベビーカーをビバビバと呼ぶ。

4 本・随想

本が語ってくれること

　小学生の頃、学校が終わるとぼくが真っ先に向かう場所は、近所の商店街の片隅にあった小さな本屋だった。そこは手を伸ばせばいつでも未知の扉を開くことのできるぼくの興味の宝庫であり、少年にとって秘密の場所でもあった。毎日、二、三時間をそこで過ごしたぼくは、いつだってお気に入りの一冊を手にして、見たり読んだりしては想像の世界に没頭していた。そう。そっと目を閉じればどこにでもトリップ。あるときはうっそうと生い茂ったアマゾンのジャングルに。またあるときは真っ青で長い大空を滑空することもでき、無限に広がる大宇宙にも行ける。今思えば、そんな風に店内で過ごす少年を放任してくれた本屋さんに頭を深く下げざるを得ない。

　そんな日常は好奇心旺盛《おうせい》で寂しがり屋な少年だったぼくの気分を、いつだって洗いたてのシーツのように快くしてくれた。そして、今でもその気分はぼくの身体の奥底に在り続け、ニューヨークであってもパリであっても、どこであっても、本のある風景に出会えればとびきりにうれしい顔を見せてしまう理由でもある。

と、いってもぼくと本との関係は可笑しなもので、年中、喧嘩しているような感じもあり、それも仲が良すぎてのことならともかく、言ってみれば身勝手な男女の関係みたいなもので、ゆっくり読んでいるかと思えば、すぐに放り投げてみたり、とにかく読まずにただ持ち歩いたり。一晩寝ずに読んで、読みつぶれたり。どこか遠い国を一緒に歩いてみたり、ほめたりけなしたり、笑ったり泣いたりとそれは忙しいったらありゃしない。しかしながら、本がぼくに語ってくれること、ぼくに与えてくれる素敵な何かが在るからこそ、いつでも両手を胸に感謝の気持ちは忘れない。絆《きずな》と言ったら笑われるかもしれない。どこかで昔、書いたが、ぼくにとって本とは、出会いもあれば別れもあり、長い付き合いもあれば、短い付き合いもある。すぐに仲良くなれる本もあれば、仲良くなるのに時間がかかる本もある。そう、人と本はまるで一緒だと思っている。そんなぼくはいつの日からか本屋という仕事を選び、現在に至るまでなんとか続けている。ということは、互いに必要としている、持ちつ持たれつな関係をこつこつと築いているのだと思う。

あったかい本ってどんな本? ふと自分に問いかけてみました。手にとる前から、なんだかわくわくする本ってあります。読み始めから「もったいないからゆっくり読もう」なんて、思う本もあります。そういう本は読んだあと、じんわり胸があたたかくなります。気持ちがやさしくなります。とってもささやかだけど、こういう本と過ごすことがしあわせと思うのです。

考えてみたら、毎日が充実しているときは本を読まないかもしれません。みなさんはどうでしょうか。本もいろいろですから一概には言えませんが、なんとなく、本を読んでみようかなと思うときの自分ってちょっと心に陽射しを当てたいなあ、そんな気分のときだと思うのです。ですので、最近本を読んでないなあと思うときは何かと忙しかったり、仕事やプライベートが充実していて気分が満たされている証拠なのかもしれません。きっといい感じなのです。とはいうものの、本屋さんはなぜか楽しいので気がつくとフラリと立ち寄ってしまいます。さて、どうして本屋さんが好きなのでしょう。手を伸ばせば、すぐに新しいことが知れるから。自分の知らないことに出会えるから。本屋さんという空間に溢れている、そういった情報や知識に囲まれているのが心地良いのでしょうか。いやいや、それだけではありません。そこにある一冊いっさつは、すべて人の手によって愛情を込めて生みだされたもの。いわば、本そのものがあったかい愛なのです。そんな愛がずらりと並んでいるのが本屋さんなのです。

あったかい本との出会い。読んでいるとき「ああ、いいなあ、この感じ」。そんな気持ちにさせてくれる本のこと。そういえば、本との出会いは、人との出会いにも似ているかもしれません。出会ってすぐに好きになってしまう人がいると思えば、なかなか好きになれない人もいます。時間をかけて仲良くなる人もいれば、会った途端に仲良くなれる人もいます。同じように、何度読んでも内容がわからない本もあるし、一ページ目から夢中になってしまう本もある。ですから、いつかどこかで必ず、自分がしあわせを感じる本との出会いはあるとぼくは信じています。恋人のような本、友達のような本。家族のような本。これからどんな本とぼくたちは出会っていくのでしょうか。そして、そういう本たちと自分がどんな風に付き合っていくのでしょうか。出会いがあれば別れもある。けんかもするでしょう。それは人との関係と同じです。ですが、そういう関係をくり返し、ぼくたちはしあわせを育てていくのだと思うのです。本とのやさしい関係。静かに丁寧に歩んでいきたいものです。

自分にとってのしあわせってなんでしょう。思いつくことはたくさんありますが、突き詰めれば、毎日の笑顔かなと思います。それも自分の恋人、家族や友人などの笑顔が一番のしあわせだと思います。ぼくは自分の近くにいてくれる人たちがいつも笑顔でいてくれるのが一番うれしいです。では、笑顔で過ごせる毎日とはどういう毎日でしょうか。一言では言い尽くせませんが「平和な日々」。ならば、その「平和な日々」ってどうすればいいのでしょう。ぼくはこう思います。まずは自分が毎日を笑顔で過ごせるように努力したい。自分がしあわせであることが、周りの人にもしあわせを与えられることだと思うからです。そして、日常は様々な出会いに支えられています。そういった出会いもバランスよく自分に受け入れていけたらと思うのです。本を見たり読んだりすることもきっと役立つと思います。「まずは隣人から」ということわざがありますが、「平和な日々」も、まずは身近な人へと伝えていきたい。そういうしあわせをもって、いつか遠くにも「平和な日々」が届けばと願うのです。

ぼくはいろんな話を知りたい

森でうさぎはどうしているのでしょう。海でおさかなはどうしているのでしょう。そこでどんな暮らしをしているのでしょう。ぼくらと同じようにハナシをして友達や家族と仲良くしているのでしょうか。うさぎやおさかなの言葉がわかって、うさぎやおさかなの話すハナシがわかったらどんなにおもしろいことでしょう。ぼくは小さな頃、その小さくてまんまるな瞳で世界を見渡し、こんな風にいつもぼんやりと思っていたのでした。

文字や絵というものは、木やプラスチックのように便利ではありません。しかし、使ってみると、とても便利なものだとわかります。見たいと思ったり、やりたいと思うことが、ポケットに入るほどの、たとえば小さな絵本に生まれ変わって、それを見たり読んだりすることで本当のことになって現れるのです。見ることのできないもの、できないことなんてありません。もちろん、うさぎやおさかなのハナシを聞くことだってできるのです。

ぼくは、人や動物、植物、自然をいつも一緒だと思っています。大切だと思うこともすべて一緒です。それを習ったのは小さな頃に読んだ一冊の絵本からでした。今、自分が生きているということ。どんな生活をしなければならないか。どうやって楽しくすこやかに過ごしたらいいのか。ぼくはうさぎやおさかなから習ったのです。うさぎやおさかながものを言ったり、人のような生活をしているわけがない。そうです、確かにその通り。しかし、その小さな絵本に書かれていたことは、本当に本当のことばかりなのです。そこには、正しいこと、勇ましいこと、親切であること、美しさや喜びが、いくつものおハナシになって書かれていました。何ひとつうそやでたらめはないのです。

面白くて、ためになって、作った人の言おうとしていることが心にすっと入ってくるような絵本。そんな絵本は大人になった今でも、ページを開きたくなります。いつだってぼくはうさぎやおさかなの話すハナシを知りたいのです。そして、そのページをめくるたび、この世界は楽しいことや美しいことに満ちているんだ。毎日を大切に生きなければと知るのです。

今日は青空です。

絵本にありがとう。

その日、二人で読んだ一冊

「ニューヨークに行きたいの」

朝陽に目をやって彼女はこう言った。なぜこの時期に行くのかと問いただすと、「今だからニューヨークに行きたいの」と言った。

理屈では説明できない好奇で溢れた彼女のまなざしは、朝焼けの眩しい空を泳いでいた。

彼女と出会ったのは友人宅のバースディパーティーだった。にぎやかなテーブルに参加せず、ぼくは一人リビングに置かれた二人がけのソファーに座りテレビを見ていた。本好きは一人きりが好きだというのは本当のことかもしれない。でなければ、本など読む時間は作れるはずがない。

「明日の天気は晴れでしょう……」なんて天気予報に目と耳を向け、ぼうっとしていたら、隣に一人やってきた。

「ここ、座っていい？」

「うん、いいですよ」

ぼくは腰をずらして、その人に席をすすめた。一人きりで心地良かったのにこれで気分は現実に戻された。さあ、帰ろうかな、と思ったら、「この本読みました？」とその人はバッグから一冊の本を取り出した。ぼくは上げかけた腰をまたソファーに沈めてその本を手にとった。デイヴィッド・シックラーの『マンハッタンでキス』。確かスモーカーとかいうタイトルが別名で映画化されたニューヨークで話題の恋愛小説の短編集だ。コミカルでちょっと何かが可笑しい。スノッブでミステリアス。

「高校教師が女生徒の家に招かれて、結婚バナシを突きつけられるハナシですよね」

「さすがね、読んでるんだ」

「いや、たまたま……」

その人は「黒ずくめの男」というハナシが好きだと言った。

「これと似たような経験があるわ、あのね……」

ぼくらはそれからこの一冊から見つけた小さなエピソードや秘密を互いに教えあった。

「これに気がついてた?」

「いや、それよりこれが……」

なんて具合に。そして、いつしかぼくらは友人宅のソファーから、その人の家のベッドに場所を移した。そして、もう話すことがなくなった頃、ぼくらは互いに指をからませていた。

風になる

乗り物の楽しみといえば、すぐに思い浮かべる内田百閒の『阿房列車』。目的は有るようで無く、そこに行って帰ってくるだけという、とにかく風を切って移動している車中のひとときだけが楽しいというあの感覚はぼくにもよくわかるところで、それは乗り物に乗って、ただ時間と景色だけが過ぎていくのに静かに身をまかせるという非日常的な行為における流浪感がうれしいのです。さらに云えば、孤独を好むわけではないので、見送りがあったり、そばで行方を見守ってくれる方がいれば、それはそれで気分は良いのです。されど、別に列車でなくてもいいのです。地下鉄であっても、車でも飛行機でも。スケートボードだっていいし、シーソーだって移動はしないけど板にまたがってギッタンバッタンしてみれば気分はあの大空に移動していくのです。思い起こせば幼い頃、初めて乗ったオモチャの車のペダルをこいで前に進んだときの息を飲んだ感動。ハンドルをまわせば行きたい方に向きを変えられたときの胸から沸き上がった歓声は忘れられない。幾つになっても失うことのない、ぼくの乗り物に対するつかみどころのない愛着の原点はここにあります。そしていつか「風になりたい」って幻想もあるのです。

猫本コレクションに出会った春

今年の冬は長かった。そんな風に思う人はきっと少なくないはずです。なぜかというと会う人みんなが口を揃えて「やっとあたたかくなりましたねえ」と言葉にするからです。ですから、今日みたいに燦々《さんさん》とした陽射しがあり、ぽかぽかした日に見られる、道行く人の幸せそうな顔といったらありません。

しかし、一難去ってまた一難。花粉症の人はちょっと辛そうで気の毒です。まあ、つくづく思うのは、日本には四季があって幸せということです。今年は本当にそう思いました。このまま寒い冬が続いたら、きっと身体も頭もおかしくなると心底思ったからです。

さて、あたたかくなれば、それだけ散歩に出かけることも多くなって、ぼくにとっては本屋に行く用事が増えるのです。用事といえど、単に好きで行くというのが本当です。先日、贔屓《ひいき》にしている一軒の古本屋に行ったら素敵な光景に出会いました。なんと、猫に関する本が三十冊くらい棚に収まっているではありませんか。猫に関する本といっても、いわゆる専門書ではなく猫が登場する物語や猫がモチーフになったアートブックや絵本といった、あたかも猫が大好きな方のお宅にうかがって、その本棚を眺めているような棚揃えなのです。こんなに猫の本ばかりどうしたのでしょう。そう思い、一冊を手にすると、中に日付と名前の書き込みがありました。もしやと思い、他の一冊を見るとそこにもありました。そうです、ここに並んだ本はすべて同一人物の持ち物なのです。こんなコレクションをどうして手放したのでしょう。これだけの本を集めることの大変さをわかるぼくとしては、それが不思議でなりません。本に名前を書き込むくらいですからきっと大事にされていたに違いないのです。

そんな風に思いながら、ちょっと複雑な気分で購入させていただいた本が、熊井明子さんの書いた『猫の文学散歩』です。内容はコレットやヘミングウェイ、梶井基次郎、マーク・トゥエインといった東西の作家たちの作品に登場する、さまざまな猫たちを通し、その作品の魅力を語るエッセイ集です。熊井さんは『キャットライフ』という雑誌において七年間『文学者と猫』という連載を続けていて、それをまとめたのが本書です。熊井さんはあとがきでこう書いています。「一匹の生きた猫は、どんな素晴らしい猫文学にも優ると思う。それでも猫好きは、猫が出てくる本を探し求め、夢中になる……」そして、なぜそういった猫の本を読みたくなるかというと、「私たちは、猫という鏡に映し出された〝人〟に会いたくて、猫の本を読むのではないだろうか……」。そう、まさにそうです。その古本屋に並んだ猫本コレクションを見て、ぼくが、ハッと息を飲んだのは、確かにそこに人の姿が見えたからです。

別の日、またその古本屋に行きました。そうしたら、そのコレクションが減っているどころか増えているではありませんか。もちろん、あの名前がすべてに書き込まれていました。すごい!!

おそらくコレクションはとてつもない量なのです。ぼくはなんだかうれしくなって、しばらくその棚を見ていたら、きっと猫が好きなんだろうと思える人たちが一冊いっさつうれしそうに買っていくではありませんか。その光景はとてもあたたかい感じで、元の持ち主もきっと喜んでいるだろうと思うのでした。明日また行ってみよう。

文学人生案内

いつからだろう。ぼくの本棚にピアノの鍵盤《けんばん》のように整然と吉田健一の著書が並ぶようになったのは。そのほとんどのタイトルは短い一言であるから、背表紙が並んだその景色は、さらりとまるで軽やかな俳句のようなリズムさえ感じさせる艶《つや》がある。

そんな一冊いっさつは、遠い街の古本屋の軒先から抜いたものであったり、パラフィン紙で包まれて仰々しく本棚に収まっていたものもあったり、どれもこれも素敵な出会いでいっぱいだ。

ぼくは吉田健一の書く、ウイットに富んだユーモアとその息の長いつらつらとした文体が大好きで、『乞食王子』に腹をよじらせ、『舌鼓ところどころ』でゴクンとつばを飲み込み、『交遊録』で友との出会いに思いを馳《は》せたのであった。もちろん、氏個人のスマートな人間的魅力に羨望《せんぼう》したのはいうまでもなく、本好きだったぼくは少しでも氏の知的センスに近づきたくて、むさぼるように和洋問わず書物を読みあさり、海を越え山を越えて旅に出かけ、知らない街をどこまでも歩き、気持ちいい風に吹かれることの幸せを知ったのであった。

駅前の本屋で文庫版の『文学人生案内』に出会ったのはつい最近のことである。古本屋ではなかなか見かけない希少本である。ぼくは心躍らせ手に取り、パラパラと筋書きに目をやると、日本とヨーロッパの名作文学について、笛を吹くように語り、鼓のように人生の音を響かせ、氏の爽やかな言葉が音楽を奏でている。そこで、氏の取りあげた全十六作品を心静かに見てみると、いまだ自分が読んでいないタイトルの多さに気がついた。森鷗外『雁』、横光利一『旅愁』、シェイクスピア『ハムレット』、モリエェル『守銭奴』、フロウベル『ボヴァリィ夫人』。さて、これらを読む前に読むか。読んでから読むか。ぼくは後者を選んだ。せっかくだもの、大好きな氏からの大きな贈り物を、涙を流して受け取ろうではないか。いつか読みたい『文学人生案内』のために。

忘れられなかった瞳との再会

　後悔しているのは、つい先日訪れたマルセイユのギャラリーで出会った一枚の写真を買わなかったことです。コントラストの強いモノクロで焼かれたそのイメージは眼鏡をかけた長身の男と、彼に寄り添った長い黒髪に小猫のような瞳が印象的な女性のポートレイトでした。「クリストとワイフよ」ギャラリーの女性オーナーはこう言いました。ぼくは美術家クリストよりも、そこに写った女性があまりにもキュートなのに驚き、強く魅かれてしまいました。そう、まさに一目ぼれです。このように旅先での忘れられない出会いはいつも突然訪れるのです。そして、思い出せば、いつもそのとき、弱気だった自分に後悔するのです。

　その後、彼女の名を知ったのは突然のことでした。旅先での出会いも後押しして、最近、改めてクリストの作品が気になっていたところで、手にした一冊『CHRISTO AND JEANNE-CLAUDE』。驚くことにその扉を開けると、あの写真と同じ時期に撮られたであろう二人の写真と再会できたのです。胸の高鳴りを抑えながらテキストを読んでみると、一九五八年に渡仏したクリストは、そこでカサブランカ生まれの女性ジャンヌ＝クロードと出会い、恋に落ちる。同じ美術家であった二人はこのときから作品の共同制作を始めていく。この出会いによって二人の布を使った「包む」「囲む」「さえぎる」「繭う」というプロジェクトが現在に至って続けられていく、とのこと。

このように、美術家クリストの初期作品集『CHRISTO AND JEANNE-CLAUDE』は、二人が出会った頃、愛つつましい十年を収めたアルバムなのです。

無頼画家、F・ベイコンのアトリエは笑っている

忘れられないのは、底抜けの笑い声が聞こえてくるあの写真だった。A・ブロドヴィッチがアートディレクターを務めていた一九五〇年代後半の『ハーパース・バザー』誌。クリエイティブが恐ろしいほど全盛だった頃。そこに掲載されたフランシス・ベイコンのポートレイトは今でもぼくのファイルに収まっている。しかしながら、カメラを構えたアヴェドンが撮った笑い声はベイコンのものではない。声が聞こえてくるのは足の踏み場がないほど、絵の具や素材などが散らかった、そのアトリエからだった。どの流派にも属さない、他に類を見ない衝撃的な人体のフォルムを描き、戦後イギリスが生んだ最も重要な画家といわれるフランシス・ベイコン。一九三三年、『磔刑図《たっけいず》』がハーバード・リードの著書『今日の芸術』に掲載され、彼は成功という名のセカンドバースディを迎える。その後のプロフィールは、ゲイ、シャンパン、タンジールへの旅、暴力と、八十二歳で死を迎えるまで波瀾万丈《はらんばんじょう》だった。

サウスケンジントンの駅から歩いて二分ばかりの場所にミューズ・コテイジと呼ばれた彼の住み家はあった。古い絵筆、イーゼルやキャンバス、『パリマッチ』や汚れた新聞、男性ヌードの切り抜き。E・マイブリッジの写真、『戦艦ポチョムキン』のスチール写真などなどが、まるで洪水のあとのように散乱し、壁や窓までもが彼のキャンバス

となった一室。フランシス・ベイコンのアトリエというカオス。そんなミューズ・コテイジの光景を一冊にまとめたのが、この『7 REECE MEWS FRANCIS BACON'S STUDIO』である。天窓から気持ち良く光が注ぎ込んでいるそこにはやっぱり笑い声が聞こえている。

恋する手に一冊

一月だというのに五月晴れを感じさせる青空とその陽射しでポカポカした柔らかな休日。ぼくは友人のＡちゃんの誘いを受けて散歩に出かけることにしました。行き先はぼくの暮らす駅から五つばかり先の駅にある中くらいの池がある公園です。中くらいの池といっても貸しボートがあるくらいだから決して小さくはなく、その大きさが丁度いい抜け感になったそこで、今日はボートを漕《こ》いでゆっくりしようよというのが誘い文句です。彼女は休日暇になるといつもぼくをこんな風に誘うのです。

Ａちゃんは友人といっても、ぼくと二十も年が離れていて、十五歳の中学生です。実は彼女、ぼくが親しくさせてもらっている方の娘さんなのです。どういうわけかぼくを慕ってくれていて、いつも多忙な知人よりも会う回数が多くなり、いつの間にか一声で呼び出される仲になってしまったのでした。きっかけは一冊の本、サリンジャーの『ナイン・ストーリーズ』でした。初めて知人宅に呼ばれ、夕食をご一緒させていただいたときに、彼女が読書好きと聞いていたぼくは「今、何読んでいるの」とＡちゃんに聞いたら、「サリンジャー」と返事をし、もっと詳しく聞いてみたら『ナイン・ストーリーズ』を何度も読んでいるとのことでした。ぼくもサリンジャーは大好きな作家だったので、バナナフィッシュやひょこひょこウサギ、テディーや、笑い男のハナシなどで思わず会話は盛り上がりました。サリンジャークイズと称して、互いにクイズを出しあうのにも、そのマニアックさが可笑しくて夢中になったものです。

ぼくとAちゃんは貸しボートに乗って、しばらく水面でキラキラと眩しく光る模様を指でなぞり、ぼうっとしていました。しばらく黙っていたAちゃんは「ねえ、話してもいい?」と聞いてきました。ぼくは「いいよ」と遠くを見ながら言葉を返しました。耳を傾けてみると、どうやらAちゃんは好きな人ができたらしく、そのことをぼくに聞いてもらいたかったみたいです。ぼくは彼女の思いや感ずるものを静かに聞き、うなずくのでした。ぼくは彼女がすでに何もかも答えを決めているのは知っていました。彼女はそういう性格だからです。人に答えを求めているのではなく、自分の言葉にすることで自分が決めた答えを決意させているのです。だから、ぼくはそれを受けとめることで、彼女に勇気を与えられればと思うだけでした。

夕暮れになり、二人の背中をオレンジ色の陽射しがあたためる頃、「もう帰ろうか」とぼくが言うと、Aちゃんは「うん」と笑顔で答えました。ふと見ると、今日もAちゃんの手には『ナイン・ストーリーズ』がありました。それを見て彼女がとても愛おしくなりました。何はともあれ、とってもキュートに思えたのです。

今日のようなひとときを過ごして、ぼくはこう思いました。ある日、十五歳の少女が恋をし、その手にはサリンジャーがある。それが、ちょっと羨《うらや》ましいな。ぼくが『ナイン・ストーリーズ』を読んだのは二十二歳のときでした。できれば、ぼくも初恋の頃、読みたかったなと。都会的でクールな文体、揺れ動く若者の内面を描いたサリンジャーも十五歳の少女にこれほど愛され読まれれば幸せだろうな。

腕まくりがいらないクックブック

ニュージャージー州の小さな田舎町にそよぐ風はとびきりに爽やかだった。美しい新緑を川面に映した小川のすぐ脇にあったプレイグラウンドから聞こえる子供たちの声。ぼくがそこで旅の足を止めたのは、そんな彼らの黄金色の声に誘われたからだった。

六人の子供たちは、流木をそのまま利用したベンチに並んで腰掛け、ひざの上にランチバッグを乗せ、これから始まるであろう小さなランチパーティーにキラキラした笑顔を見せている。ビックリ箱でも開けるかのように呪文らしき言葉を唱える少年。匂いをかいでうっとりする少女。真っ青な空の下、みんな思い思いの仕草でその始まりを楽しんでいる。ぼくは少し離れた草むらに座り、その光景を見つめた。

彼らは一斉に各々のランチバッグから中身を空に突き上げるように取り出した。まるで勝利のポーズだ。その手には小さな包み、おそらくサンドイッチであろう。「ぼくはチキン！」「わたしはジャム！」「ツナだよ！　ぼくは」どうやら今日は彼らのサンドイッチパーティーだったようだ。食べ始めると一気に静かになったが、彼らのやけに大きく見えるスニーカーだけはバタバタと忙しく動いていた。美味しいんだろうな。そう思って、ふと空を見上げたら高いところをトンビが気持ち良さそうに旋回していた。

旅の記憶は、いつでも突然、こんな風に甦《よみがえ》ってくる。今、ぼくの手元にある小さな一冊『PEANUTS LUNCH BAG COOK BOOK』は、これまたアメリカの小さな街の古本屋から届いたもの。てのひらにすっぽりと入る四角いサイズがブックというより可愛い表情を持つ絵本に近い。

　三人の子供を育てるジューンさんはアメリカでも有名な料理家。彼女のレシピによる、このクックブックはランチバッグ、いわゆるお弁当料理本。くわえて表紙のチャーリーブラウンを見ればおわかりのスヌーピーの作家、シュルツ氏による一冊でもある。ブレッド、デザート、サラダ、そしてサンドイッチなどなど。四十九のとてもシンプルなレシピが、チャーリーブラウンやルーシーなど『ピーナッツ』の仲間による四コマだけの楽しいショートストーリーと共に説明され、料理の写真やイラストは一切ない。

　早速「チャーリーブラウンズ・ビーフサンドイッチ」のページを開いてみると、炒《いた》めたコマ切れ牛肉、ラディッシュ、チリソース、マヨネーズ。これらを混ぜて、軽くトーストしたパンにレタスと共にはさむ。これだけ。そしてランチバッグの中身を覗くチャーリーブラウンのニッコリしての最初の一言、「GOOD GRIEF（やれやれ……）」。

　このように、この一冊は、まったく腕まくりのいらないクックブックだけど、ページをめくるたびに、あのプレイグラウンドにいた子供たちの声が、ぼくには聞こえてくる。「ねえ、見て！　ぼくのランチバッグにアリンコが入ってる」ってね。

茶粥というしあわせ

ぶらりぶらりの食べ歩きも大好きですが、御馳走《ごちそう》が書かれた読み物をぱらりぱらりと読みながら、そのカタチや色、味、香りをぼんやり思い耽るのも大好きです。御馳走の景色はあたたかなしあわせ。さておき、美味しいハナシは聞くも良し読むも良しなのです。

毎年、四月になるとどこかへ旅に出ることが恒例になっていて、昨年は九州の高千穂へと訪れました。カタンコトンと単線の電車がトンネルをくぐり抜けるたび、景色の色あいが薄くから濃い色へと変化していくその様子は、神話の里へ深く奥入る旅人を見つめる山神さまのまなざしにも感じ、ちょっとどきどきしたものです。また、その空気の透明さ、その風のはやさがこんなにも都会と違うものかと驚きました。知らずのうちに、遠くはくっきり近くははっきりと見えるようになり、そこにある生活がスローモーションのようにゆっくりと感じられてくるのです。

宿泊したのは、玄関に大木が立つ小さなお宿でした。その頃にはとっぷりと日が暮れて、お風呂をいただき、すぐに夕食へと案内されました。「夏ならば川魚が美味しいのですが……」と女将《おかみ》さんが出してくれたお膳は神様へのお供えと同じというもので、古代米とすまし汁、湯豆腐と川魚のつくだに、山菜などなど。書いてみると素朴ですが、その一つひとつがとっても濃厚な味わいで、あたかも自然素材のお祭りのようでした。夜が更けると神楽《かぐら》太鼓がどこかからこだましてきます。ここではすべてが静かでやさしいんだなあと思いながら頭を枕にしたのでした。

何より忘れられない御馳走は翌朝、食べた茶粥《ちゃがゆ》でした。もちろんお米は古代米です。茶粥を食べたのはこのときが初めてでした。添えられたお新香をつまみながら、一口ひとくち食べる香ばしくて甘い味わい。ほんわりと立ち上がる湯気まで美味しい。とにかく、しあわせが身体にしみていくようなのです。ああ、その美味しさを上手に伝えられないのがくやしくて仕方がありません。

茶粥で思い浮かぶ一冊といえば、昭和初期の女性作家、矢田津世子が書いた『茶粥の記』があります。御馳走なる読み物で知る名作のひとつです。

内容は、亡夫の思い出を語る妻とその姑《しゅうとめ》のしみじみあったかいおハナシ。夫は食通ぶりを雑誌へ寄稿するほどの食道楽で、その味わいを表現する筆力は絶品極まりなく上手。その迫力は読む側の口がぽかんとしてしまうくらい。しかし、本当をいうと、その夫、妻が土鍋《どなべ》ひとつで作る茶粥しか食べられない胃弱な体質でありました。よって、その文章や言葉はすべて妄想の賜物《たまもの》。それを可笑しがる妻へ夫は「想像してたほうがよっぽど楽しいよ。どんなものでも食べられるしね」と言う。夫にとっては老和尚直伝、緑茶で仕立てる妻の茶粥こそが最高の御馳走でありしあわせであったのです。「グツグツ煮えはじめた頃合いを見はからって土鍋の真ん中へ梅干を落して、あとをとろ火で気長に煮あげる。粥は梅干の酸味を吸い出し梅干は程よい味にふっくらと肉づいて、なんともいいようなく旨い……」

詩人の西脇順三郎はこう言いました。「素朴であったり孤独なものそれ自身の中には、人の美しい情念を呼びおこしてくれるしあわせがある……」。さあて、今年はどこへ旅しよう、何食べよう。ぶらりぶらりぱらりぱらり。

日々の歓声は食卓に

風が柔らかで、朝の空気も香り高くなったこの頃。重く感じていた身体もふわりと軽くなりました。そして、何かを始めたくなるような、何かいろいろ知りたいような気分が満ちてきました。

ぼくはいつ東京で生きていこうと決心したのだろうか。赤瀬川原平さんの『ぼくの昔の東京生活』を読んでいて、ふとそんな風に思いました。窓ひとつの小さな部屋で始めたあの頃の生活。空が青く晴れただけでうれしかった日々。何より楽しかった自炊。そうです、当時はつつましい生活の中でも食卓はかけがえのない毎日のイベントでした。この本は若かりし赤瀬川さんが、東京に出てきてからの様々な仕事と、生活体験を書き綴《つづ》ったエッセイ集です。中でもぼくは食べ物について書かれた文章がたまらなく好きで何度も何度も読み返してしまいました。

もうもうとした湯気の上がる蒸らし途中のご飯の中に、焼き立てのさんまを手でちぎって放り込み、醬油《しょうゆ》をじゃっとかけて、しゃもじで掻《か》き混ぜる友人を「凄《すご》いことをするな」と思うも、一口食べたらその旨さに、料理は発明だと驚く赤瀬川さん。ぼくも今すぐ真似して作りたくなりました。他にも、盛りそばや、野菜炒め定食、一枚を三人で食べたトーストのハナシなど。とにかく読んでようしと元気が出る一冊です。

『日々の食卓』。ゆるやかな長尾智子さんの空気感がそのまま伝わってくる本です。長尾さんの料理本を、読むたび感じるのは、その料理以外のことをたくさんたくさん教わっているように思えることです。なんだろう、その見つめ方とか、扱い方とか感じ方。じっくりとか、丁寧にとか、さっと、といった時間のめりはり。ひなたやひかげの匂いの違いといったことまで、読んでいてはっとすることが多いのです。もちろん、実用的ですが、台所だけの実用でないところが長尾さんの本なんだと思います。また、余談ですが、長尾さんが「気をつけましょう」と書いていることは、ほんとに気をつけなきゃと思うのです。

静かに見つめながら、前に進むこと

彼は多くの言葉をぼくに残してくれている。あるときはニューヨークのヴィレッジで。あるときは偶然、アッパーウエストサイドの路上にて。そして、六年前に横浜で開催された回顧展にて。

「写真を撮るということは、常に自分の直感を手がかりにして、目の前にある現実からもうひとつの現実を表現することなんだ。そのための、わたしの知っていることのいくつかを君に教えよう。まず、誰もが持っている、不思議なものや神秘的なものを見つける感覚、そして、それを感動する心を失わないように自分を保つこと。わかるかい。次に、常に自分が何を見て、何を聴いて、何を考えて、何に感じ、何を語っていないのか。それを自分の写真のテーマにすればいい。で、それを静かに見つめながら前に進めばいい。いいかい、単に光景や対象に興味を持つのではないんだ。その本質、その裏側への興味が大切なんだ。写真が結果としてどう出来上がるのかが重要ではなく、それを君がどのようにして、何を表現しようとしたかが最も大切なんだ。忘れてはいけないよ」

写真家ロバート・フランクは、自分の記憶をどのようにしてカタチ作るか、それをどのようにして表現するか、宿命のように取り組み続ける作家である。その作品は叙情的であり、常に前衛的である。初期から現在までの作品が収録された作品集『HOLD

STILL - keep going』は、まさに彼の記憶を編んだ一冊である。
「静かに見つめながら、前に進むこと」。ぼくにとってこの言葉はいまだに大きい。そして、何事においても大切な道しるべでもある。

一歩一歩と一針一針

今日という一日がどんな一日であろうと大切にしたい。いい日ばかりではないけれど、そういう日こそ、いつもよりやさしいまなざしを向けられる自分でありたいと思います。

フランスのベストセラー作家、フィリップ・ドレルムの『しあわせの森をさがして』は、日常への思いや、ささやかな出来事を、作者特有の詩情に満ちた言葉で編んだ一冊です。日々のスケッチとでもいいましょうか。そんな風に自分にとってのしあわせを語ること。それは毎日の奇跡を知ることでもあります。友人や家族、窓の外の景色など、ようく見ればその一つひとつが物語となって、わたしたちの日常に七色の虹をかけてくれます。奇跡は毎日起きる。この本を読んでいると、そういうやさしい気持ちが心から湧いてきます。そして、他愛ないひとときにも夢見させてくれます。そんなとき、目の前をしあわせが通る。そして、わたしたちもそのしあわせを語りながら一歩一歩前にすすむのです。何度も何度も読み返しながらイメージを膨らませたい一冊です。

手芸作家、下田直子さんの作品集『下田直子の刺繡《ししゅう》』は、手にしてすぐにいい本だと思いました。刺繡のことは詳しくはわかりませんが、そこにある個性的で楽しさが溢れている刺繡を見たら、理屈抜きで、わあと声が出てしまいました。この本では下田さんの刺繡がされたバッグを、実際の持ち主であろう方々が使っている写真によって見せてもらえます。使っている風景ほどいいものはありません。ひとつで見たら作品ですが、使っていればその人の一部。そういうバッグの顔つき、その馴染《なじ》んだ感じがあたたかいのです。で、これを見ていると早速、刺繡をしてみたい。自分だけのバッグを作りたいとも思うのです。大丈夫。しっかり丁寧に説明された刺繡の方法、そして作り方も載っています。刺繡の楽しさを知るにはとびきりの一冊だと思います。

毎日を一歩一歩、刺繡を一針一針。どちらもしあわせのリズムと思うのです。

一枚の葉書で思い出したハナシ

突然モントリオールで暮らすと言って出かけたまま、音信が途絶えていた友人から一枚の葉書が届いた。万年筆で書かれた見覚えある文字を懐かしく思い、しばらく忘れていたその友人の清々しい笑顔を思い出し、そこに書かれてあるものを読む前に、しばらく、ぼくはあの頃の感傷に耽ってみることにした。

最初に言っておくが、その人は友人というより、ぼくと半年間付き合った女性だった。今は友人と呼ぶが、その頃は彼女だったわけだ。彼女に最初に出会ったのは、ぼくが二十歳の夏だった。彼女は出版社に勤める編集者で、人気のファッション雑誌のカルチャーページなどを担当し、常に新しく刺激的な映画や書籍、アートなどを街を歩いては見つけ、いち早く誌面で紹介することに奔走する昼夜ない毎日を過ごしていた。彼女は疲れを見せず、その仕事に誇りを持ち、存分に楽しんでいた。それが彼女の魅力だった。映画の試写を一日に二本も見ることはざらで、そのあとにカフェで落ちあうと、座った途端、もうその映画についてのハナシで持ちきりになって、オーダーしたピザに手をつけず、そのチーズが固まることなんてしばしば。コーヒーが冷めてしまって何度おかわりをもらったであろうか。話すほうが時間を忘れてしまうくらいだから、聞くほうだって時間が経つのを忘れてしまうくらい。しかし、ぼくはいつでもそんな彼女のハナシを聞くのがうれしかった。彼女が笑ったり、驚いたり、ちょっと怒ったりする表情を見ているのが大好きだったのだ。

その頃のぼくはアメリカから帰ってきたばかりで、東京での何もかもめまぐるしい速度についていけず、昼間は図書館や古本屋で時間をつぶし、夕方からは友人宅で数人集まった仲間とあーだこーだと言いながら、ビデオを見たり、音楽を聴いたり、カードゲームをしたりして過ごす毎日だった。仕事というと、アメリカから持ち帰った本をサンプルにして、ファッションデザイナーやグラフィックデザイナー、アートディレクターを肩書きにする方々の仕事場に出向き、こういった本を資料として買ってくれませんかと御用聞きに歩き、その注文がまとまったら、またアメリカに買い付けにいくという仕事をしていた。要は店を持たない本屋だ。今もその仕事はカタチが幾分変わったけれど続いている。で、そんな友人宅の集いにたまに来る一人が彼女だったのだ。当時、二十七歳。独身。

ある日、いつものように友人宅でひとしきり騒いだあと、さてと朝方、帰宅するとき、ぼくと彼女は帰る方向が同じだったことで、タクシーをシェアすることにした。

「家、どこ？」

「阿佐ヶ谷」

「わたし、高円寺」

こんな会話があったようななかったような、とにかく一緒にタクシーに乗った。目黒の友人宅から山手通りに車が入った頃、ふと彼女が言った。

「ウチに可愛い小猫が来たんだよね」

「そうなんだ」

ぼくは眠くて半分つぶった目を外の景色にやりながら答えた。

「ねえ、見に来ない？」

ぼくは黙っていた。彼女はその小猫が捨て猫だったこと。余程人間に何かされたのだろう、最初は手を出すと全身で怒りを表わしていたこと。小さいくせに歯や爪が一丁前なこと。今は自分が帰るとニャアと近づいてくること。そんなことを返事もしないぼくにうれしそうに話すのだった。

ぼくらは高円寺で一緒に降りた。そこからぼくのアパートは歩いて二十分くらいの距離だったので、どうってことはないと思ったのだ。朝陽が昇って道路が金色の光でまぶしくなった中、彼女は今日初めて会ったぼくの手を握って歩いた。道を歩くコツコツというハイヒールの音が妙に耳に残った。

彼女が暮らすマンションはペットを飼うことが禁止されているらしい。

「でも、みんな飼っているのよ」

彼女はカギをノブに差し込みながら言った。

「ねえ、見てて、わたしがドアを開けると、あのコ来るからね」

そうっとドアを開けると彼女が言うように、とっても小さな三毛猫はドアの前で待っていて、ニャアと一声、彼女を見つめた。

「ね、可愛いでしょ。さ、上がって上がって」

彼女は先に部屋に入り、小猫を胸に抱いたままソファーにかけられたバスタオルや洋服など、その辺に散らかっているものを片づけ始めた。

「ごめんね、散らかってて」

「いいよ、そのままで」

ぼくはそばにあったシェーカースタイルの椅子に腰掛けた。

「ねえ、こっちの方が楽だからこっちに座ってよ」

彼女は片づけたソファーをパンパンと手で叩いて、ちょっと緊張気味のぼくを見て笑いながら言った。

ソファーに座ったぼくの隣に腰掛けた彼女は小猫を膝《ひざ》にのせて、指で頭や身体をなでながら話し始めた。今、この小猫の名前を考えていることや、自分が仕事で遅くなってしまうので可哀想だとか諸々。ぼくは正直眠くて仕方がなかったので、黙ったままハナシを聞いていた。そんなまったりとした時間の中、ふと部屋を見回すと、大きな本棚が目に入った。目をこらすとさすが編集者と思わせるほど本がそこにうごめいていた。

「あ、本好きなんだよね。面白いのあるわ、これ」

さっと立ち上がって、本棚から抜いた一冊をぼくに手渡した。表紙を見ると、阿部昭の『みやげの小石』だった。作者のことは湘南に暮らす小説家としては知っていたが、何か作品を読んだかというとそうではなかった。

「読んだことないな」

「ほんと！　じゃ読んで、絶対いいよ」

彼女は自分が感動したり、発見したことを誰かに伝えることが、自分にとって一番の喜びというように、ぼくにこの一冊をすすめた。

「猫のハナシが入ってるの……」

出会ったその日にキスを交わしたぼくと彼女は、それから付き合うようになった。そして、次の日、ぼくと彼女と小猫は、ひとつのベッドに寝た。考えれば、物言わぬ小さな小猫がぼくと彼女を出会わせてくれたのだった。そして、互いの生活に喜びを与えてくれたことは確かだった。

さて、今でも彼女がぼくに手渡した一冊『みやげの小石』はこの手にある。これは氏の私的な短編をまとめたもので、「猫の不幸」という猫への愛情であふれた著者のまなざしが感じられるエッセイがあり、ぼくはこれを読んで氏が大好きになった。人間に飼われる猫はこれからどんどんと過保護猫となり、閉じ込められ、野生を失っていく姿を想う氏の言葉に共感を抱いた。愛猫家は自ずから猫を愛するゆえ、猫らしい猫をこの世から減らしていく。しからば、真の愛猫家はそのままに終わらず、猫の野生を回復させることを思慮し人生を悩み続けるという。なるほど。

その後、知ったのだが阿部昭の編による『日本の名随筆3／猫』は寺山修司から大佛次郎、有馬頼義や柳田國男といった多くの作家が残した猫にまつわる小さなエッセイを一冊に編んだもので愛猫家にはぜひ手にしてもらいたい一冊である。鴨居羊子のエッセイも収録されているのがうれしい限り。何よりこれだけの愛猫家が文壇の世界に存在したということを目の前にすると驚きである。それだけ猫はそしらぬ顔をしながらも、多くの人々の生活を助け、潤いを与え、出会いを作り、笑顔を授けてきたのであろう。幸せを作ってきたのだろう。

ぼくは彼女の葉書を手にそう思った。

捨てられない青春の一冊

「本のために家賃を払っているのも、どうかと思って……」ある日、友人がこう嘆いた。段ボール箱三十個はあるだろうか、学生時代から知らぬうちにたまってしまったその本は現在、いわゆるトランクルームに預けてあり、その家賃は年を通すと馬鹿にならぬという。おまけに、その本をたまには覗きにいくかというとそれはなく、ただただ、そこに保管しているということに、どうやら本人は首を傾《かし》げ始めたのだ。というか、やっと気がついたというのが本音である。その後、友人はある決心をした。一度、段ボールをすべて引き取り、そこで、いるものといらないものを分け、もしくはそこにどんな本があるのかを知り、最終的にはいるものだけを残したうえで、改めてトランクルームへ、という算段である。もちろん箱の数を減らすこと。で、その作業が心細いのかどうか知らぬが、「手伝ってくれませんか」こう言ってきた。なんだか、かび臭い手伝いだが、その頃、暇ならいくらでもあったぼくだから「もちろん」と答えたのであった。

晴れたある日、段ボール箱は引っ越しのようにやってきた。どんどんと積まれていく箱たちはなんだかうれしそうだった。友人は軍手をはめ、さっそく一つひとつその箱を開け始めた。そして、「いる、いらない」と声を出しながら、作業を進める。そして、たまに一冊の本を手に目を潤ませたり、しばらく、黙り込んでみたり、その姿は自分の若き日を回想している年寄りのようだった。ぼくはというと、さほど手伝うことなどなく、その姿を側で見て見ぬふりをするだけだった。

「これは捨てられないなあ」突然、友人がある一冊を手にこう言った。ぼくが目を向けると、「庄司薫は捨てれないなあ」と友人はもう一度言った。そして、それを、いるほうの箱に戻すというより、傍らに置いて、「久々に読もう」なんてうれしそうに言っていた。そしてもう一言「青春なんだよなあ」。

庄司薫の作品といえば『赤頭巾ちゃん気をつけて』だが、ぼくとしては『ぼくが猫語を話せるわけ』を推薦したい。愛読していた方なら知っての通り、著者はそもそも長年、犬を飼っていた。その別れとなった愛犬の死は著者を随分打ちひしがせていた。しかし、ひょんなことで、ある日、ペルシャ猫が居候してきた。それがきっかけで書かれたエッセイ集がそれである。犬派だった著者が、突然、気ままな猫と意気投合して自由に語るそのユニークな言葉の数々。そして、深沢七郎や安田春雄との対談、収録される猫の写真は、日本を代表する写真家、沢渡朔のものである。この写真がすごくいい。そう考えてみたら、ぼくにとっても庄司薫は捨てられない一冊に属するものである。ラディカルだけど暴力的ではないその自由な言葉に、日本のサリンジャーという、ちっともうれしくない評をされた青年作家の庄司薫。

「やっと終わりました」夕焼けが窓を照らす頃、友人は作業を終え、「結局、段ボール箱はそれほど減りませんでした」と苦笑いした。そのほとんどはまたトランクルームに逆戻り。そして、彼の手には一冊の本があった。「おかげで今日は良く眠れそうです」友人はとてもうれしそうだった。

ブブや

ある日、気がついたら猫十四と暮らしていたことがあった。そもそも、かみさんの身内が世話をしていた大所帯だったが、ある事情で、その広い家ごと世話を頼まれたのだ。

もちろん、その十四の猫にはそれぞれに名前があった。しかし、あまりにも突然の同居だったので、名前など憶えられるはずはなく、あげく、勝手にチャイロやクロ、シロと色で分別できる名前をつけ、悠々自適に暮らす彼らの生活にこちらが仲間入りさせてもらったような具合だった。

正直、かわいいと思う余裕などなかった。顔は小さいがトドのように長くて太い身体をノッシノッシと揺らしながら歩く姿は憎たらしくもある。二匹の小猫はとにかく腕白だった。家中の柱という柱、壁という壁を鋭い爪を巧みに使ってはい上がってはジャンプし、疾風《はやて》のごとくどこかに消えていく。そして、この家の納戸、押し入れは完全に彼らの支配する住居となり、その荒れ方はすさまじいものがあった。

毎日の世話を書いてみる。朝、キャットフードを五缶開ける。飲み水を新鮮な水に取り換える。生ぬるいと一切彼らは口をつけない。で、トイレの掃除。これが辛かった。家には三カ所、彼らのトイレがあったが、大小便がすぐに固まる砂を常々補充し、清潔に保たないと好き勝手に布団の上などに彼らは粗相をする。汚れたトイレは冗談じゃないらしい。これが一日に三回。そして、各部屋の掃除。これらはかみさんが担当していたが、掃除機で毎日丹念にやらないと、どこもかしこも毛だらけで息苦しくなる。そこら中に飲み込んだ毛玉を吐き散らすので床のふき掃除も大変だった。とにかく、一日中、彼らの世話をしているようである。こんな生活が二カ月続いた。

ぼくは小さな頃から何匹も犬を飼ったりと、一介の動物好きを自認していたが、まさか、猫を飼うことはないだろうと思っていた。先の十四の猫との暮らしは悪夢と忘れても、それほど、猫を愛する対象とするという選択肢は皆無に近かったと思う。しかし、その価値観がガラリと変化する事態が、ある日、起こった。

雨の強く降る、ある朝のこと。当時、ぼくは四畳半の台所に同じ広さの居間、そして、六畳の寝室といった2Kのアパートにかみさんと細々と暮らしていた。で、仕事に出かけようとしたそのとき、外からか細い鳴き声で「ニャア」と聞こえたのだ。一瞬、耳を疑ったが確かに小猫の鳴き声だった。外はザンザンと雨が強く降っている。ぼくはその一声が気になって、玄関の外に出て、もう一度耳をそばだてた。もう一度「ニャア」。どこから聞こえるのだろう。アパートのまわりを見回すがどこにも声の元らしき姿は見えない。こうなったら、気になって仕方がない。身体を雨で濡らしながらアパートと隣の家のすきまをそっと覗いてみると、そこには二匹の小猫が小さく丸まっていた。雨でずぶぬれだ。こっちを見て一匹が「ニャア」と鳴いた。「ちょっと待ってろ」ぼくは狭い壁と壁の間に手を伸ばし、彼らを手でつかもうとしたが、そこの幅がいかんせん狭くて手が届かない。もう身体は雨でずぶぬれだ。どうしようもないので大声でかみさんを呼び、彼女に手を伸ばしてもらうことにした。幸運にも彼女の身体は壁のすきまに入ることができ、彼らを手にすることができた。二匹は黒い子と白い子だった。とりあえず、大急ぎで身体を拭いてやり、毛布で包み、目ヤニや汚れを取ってやる。しかし、黒い子は動くことができたが、白い子はすでに虫の息だった。温めた牛乳も白い子は飲みもしなかった。このままでは死んでしまう。ぼくとかみさんは大急ぎで近所の動物病院に白い子を抱いて連れて行った。十四の猫との共同生活で何度も世話になった病院だった。早速、診察してくれた医師は、栄養不足と雨で肺炎を起こし、この子は危ないと云った。結果、しばらく入院。しかし、命は保証できませんと告げられ肩を落とした。ぼくとかみさんは、まだ止まぬ雨の中、とぼとぼとずぶぬれのまま家路に就いた。

白い子は女の子、黒い子は男の子。二人はブブとクロと名がつけられた。ブブとはかみさんの好きなフランス映画に出てくるネコの名だった。そんなブブの入院は一カ月と長かった。しかし、いくつもの峠を越し、彼女は無事生還した。

家に遊びに来た友人が元気なクロをいたって気に入り、ぜひウチに里子に、というので止めはしなかった。共稼ぎの二人家族には二匹の猫の世話は楽ではない。ブブはといえば、白い毛がだんだんとグレイに変わり、その瞳はブルーに輝き、身体は二十センチほどに成長し、長いしっぽを優雅にくねらせる女の子ぶりを次第に見せるようになった。

内田百閒の『ノラや』という随筆を思い出したのは、この頃だった。確か、ある野良猫にえさをやるようになり、そのうちに家の中に入ることまで許し、決して愛嬌《あいきょう》など見せぬ「ノラ」と名付けられた猫を著者が少しずつ溺愛《できあい》し始めるハナシである。読みごたえがあったのは、ある日、行方がわからなくなった「ノラ」を探す著者は、探し人ならぬ探し猫のビラまで近辺に配り、毎日、家族はもちろんのこと、友人知人を総動員して「ノラ」を探し歩くのであった。そして、見つからぬ夜には涙をこぼしながら「ノラや、ノラや」とメソメソと打ちひしがれる。そこまでも一匹の猫に愛情が持てるものなのかと、当時は半信半疑で面白可笑しく読んだのであった。しかし、今は違う。九死に一生を得たブブを目の前にすると、内田百閒の気持ちはわからないこともない。いや、よくわかる。猫というのは決して媚《こ》びたりしないが、不思議な愛情表現を持っていて、気持ちの上で常に追いかけたくなる存在でもあるのだ。簡単に云うならば、機嫌をとりたくなる存在なのだ。結局『ノラや』では、最後まで「ノラ」は見つからずにハナシは終わるのだが、猫はそういう別れをするものなのかしらと今では動揺を隠せない。

財産のない快楽主義者、長靴を履かないときは子供の敵、多毛症の瞑想家《めいそうか》、舌の色事師と、寺山修司は猫を唄ったが、ぼくにとって猫とは、いや、すでにあれから五年も生きる我が家のブブとは、真夜中のヴァイオリンを弾く老嬢といったところか。知らず知らずに毎日の世話を家主に与え、一瞥《いちべつ》もくれず、自在な生活を存分に楽しんでいるお嬢様。大げさに云えば、無償の大きな愛を求める我が君なのだろう。

そんなこんなで、今日もぼくは世話で辛くなると内田百閒の『ノラや』を手にするのであった。もはや、「ブブや」な生活がどっぷりとあった。

空を飾る旅

「さすらいと変化を愛するのは、生ある者である」〝さすらい〟、なんて素敵な言葉なのでしょう。ぼくらが旅に出たいと思うのは、名所旧跡を訪ねるのではなく、まさに、このさすらいと変化を求めてなのです。どんな理由で、どこへ……それは人さまざまだけど、その根底にあるのは今自分が生きている場所とその生活、いわゆる、〝ここ〟から〝どこか〟へ抜け出したいということ。決して遠くまで行けばよいというものではない。ゲーテの云う「到着するためではなく旅をするため」という中の「旅をする」という言葉には、〝ここ〟を抜け出したいつもと違った世界で新しい体験と出会い、新しい考え方や感覚に接することの驚きや感激を味わうそのすべてが含まれていて、とにかく、「旅をする」ということは、時空を越えた〝さすらう覚悟によって味わう新しい出会い〟に違いないとぼくは思うのです。

ぼくは旅先で空の写真をよく撮ります。空はいつどこに行ってもそこにあります。そして、大きさ、色、表情、ひとつとして同じ空はありません。どんなときでも空はぼくを迎えてくれ、さすらいと変化という旅を感じさせてくれます。ぼくは空が大好きです。だから、ぼくにとっての旅とは空を見上げることなのです。

美術家の立花文穂さんが、このたび出版された作品集『クララ洋裁研究所』。タイトルでもあるクララ洋裁研究所とは、彼がお世話になっている小池一子さんのお母さんが主宰していた洋裁学校です。お母さんが亡くなられてから三年後、その教室であった建物が取り壊されることになり、そこに残された洋服の型紙、包装紙、チャコペーパー、糸などが彼に譲られたのです。彼はその「形見」を手にたくさんの新しい作品を作り、一日だけ、その教室に飾ったのでした。

そして、その模様を記録して、愛情を込めて一冊の本に仕立て直したのでした。それが今ぼくの手の中にある『クララ洋裁研究所』です。ぼくは一枚いちまいページをめくり、そこにある空気と目に飛び込んでくる景色との出会いに意識を委ね、こう思いました。彼にとってクララとは空だったんだなあ。クララ洋裁研究所というさすらいの旅をしたんだなあ、と。消えていくその空に手を伸ばし、そこに新しい雲や風、空気をほんの一瞬だけでも、彼は奇跡を起こすかのように飾りつけていったのです。ぼくは空が大好きです。いつしか、ぼくも立花氏のようにどこかの空を飾る旅に出たいと思います。

言葉のかわいらしさ、愛らしさ

心の鮮度。はっとする、その言葉と出会ったのはある本がきっかけでした。『女人日日』。著者は濱谷朝さんです。マグナムフォトに所属した写真家、濱谷浩さんの奥様で七十四歳で書き綴った随筆集がこの一冊です。この本の魅力は、内容はもちろんのこと、なんて軽やかで美しいのだろうと思わせる日本語の使い方。そして、誰もの顔がほころぶようなユーモア。また、自己に大変厳しい清々しいまなざしで書かれた素朴な言葉の数々なのです。

朝さんは人と事と物をとても大切にした方でした。その一生を茶の湯に親しみ、心の支えとし、きっちりと家事を進めないと気のすまぬ人だったらしく、その執筆は夜の九時十時頃からだったと言います。しかも、遮二無二筆を進めていた頃もあり、「次々と書き残したいことが構想されてくるようです」と、そこには書かれています。朝さんはこの一冊の枚数を書き上げ病の床に臥《ふ》し、それからもまだまだ書きたいことがあると話しながら、静かにお亡くなりになりました。あとがきにて浩さんは「物が捨てられない質《たち》だから、私みたいな怪態《けたい》な男も捨てなかったのだ」と語っています。最後まで「茶の心」を語り、「花不語」という言葉を好み、浩さんをいつまでも愛し続けた朝さん。

浩さんの大好物の黒豆を年中作った朝さんが書いた、ぼくの大好きなおハナシを書いてみます。

「……翌朝、蓋《ふた》をソッと取りますと、お汁は黒い水飴《みずあめ》のようにトロッとお豆を包み、一粒口に入れた時のまだ少し温かみの残っているお味は、お知合い全部の方のお口に一粒ずつ入れて差し上げたいほどのおいしさで、思わず『出来たッ、万歳』と叫んでしまいます……」

なんて愛らしい言葉なのでしょう。そのささやかな喜びにはしゃぐ朝さんの恋心は、読んだこちらにも伝染し、心がわくわくしてくるようです。

ぼくは朝さんが書き遺した、心の鮮度、という言葉をとても大切にしています。どんな歳になっても、どんなに賢くなっても、心の鮮度だけは落としたくありません。笑顔を忘れず、いつも何かに恋をしているようなひとときで日々を充満させていたいです。かわいらしさ、愛らしさを持っていたいです。

いのちある言葉との出会い。それは運命とさえ思えるかけがえのないことです。ぼくはそんな言葉を一つひとつビーズを紐《ひも》に通すように大切につなげていき、それをお守りに生きてゆければと思うのです。

いまどき秋どきな読書

「まあ、お茶でも一口すすろうではないか」

　こんなご時世だからこそ、やけに心にやさしいこの言葉。岡倉覚三の『茶の本』からの一節です。この一冊は、茶道における禅の境地へのいざない、そんな「日本の茶」を西洋人に理解させるために英文で書いたもので日本に関する独自の文明論ともいうべき名著です。

「まあ、お茶でも〜」とは、なんて日本らしい能天気な美を象徴する言葉なのでしょう。ぼくはこの言葉が大好きです。にっこり笑顔で「まあ、お茶でも〜」と言葉にすれば、知らずしらずに爽やかな風がそこには吹くようです。

　このように、一冊の本からふと出会う言葉や一文は、いつだってわたしたちの心にやさしさや力を与えてくれるのです。もちろん、読書とは、そのストーリーを肌で感じながら夢中になって楽しむことでもあります。しかし、この部分、この一言に泣かされたり、元気をもらったり、考えさせられたり、ってことが誰しもあります。知らなかった言葉を知ることだって楽しいものです。たとえば、「うらなり」という言葉は、ぼくが漱石の『坊っちゃん』で出会った言葉です。確か「うらなり」というあだ名の先生がいたのです。大した言葉ではありませんが不思議と憶えているのです。「うらなり」というのは〝末生り〟と書き、つるの先のほうに遅れてできるカタチが良くないキュウリやナスを呼んだ言葉です。こんな農村言葉も、どれもが日本らしいユーモアに溢れ、土っぽく爽やかな響きがあり、出会ってうれしい言葉なのです。

秋といっても、辛い残暑を早くキックアウトしたいこの頃ですが、ぼくは厳しかったこの夏の疲れをゆっくり読書で癒したい。

読書の秋、涼しい夜風の中、手にする一冊の本。漫画でもいい、雑誌でもいい、そこには必ず出会いが待っています。

最後に、最近出会った言葉で「『コロコロコミック』は子供の『文藝春秋』」という一文。グッとくるなあ。

あったかい言葉を探してみたら

みなさん、肌で感じる風がなんとも世知辛いと思いませんか？　凍えそうな冬の風がどんなに吹いたって、きっとどこかにあったかいぬくもりはあるはずなのに今の社会は寒すぎます。だから、ぼくはせめて自分の心の中だけでもポッとあたたかくしてくれる言葉を探すのです。冬中あたたかくなるその一言を。

「美しいと思うことは、物の美しい姿を感じる事です。（中略）ただ普通に言う物の形とか、恰好《かっこう》とかいうことではない。（中略）姿がそのまま、これを創り出した人の心を語っているのです」

これは、今、ぼくの手元にある小林秀雄さんの『真贋《しんがん》』にあった言葉です。

ぼくは、この日本のすぐれた人と文化に触れて、「日本の心」の原点を探るべくして綴られた素晴らしい一冊を、ぜひ若い方に手にとってもらいたいと思います。「美しい物と物の美しさを使い分け、言葉のウソと無言の物を対決させた人」と、文芸評論で有名な著者を作家の白洲正子さんはこう評しています。右を向いても左を向いても、どこにも道しるべのない今の社会。せめて真実とそうでないモノだけは見分けたいです。なぜなら人はいつでも美しいものを探し求めるのですから……。

さて、笑いの中にも美しさがあると知った一冊が松本人志さんの『図鑑』です。単なる直筆イラスト集と思いきや、そこに書かれた文章を読めばわかる、これは著者の頭の中に存在する笑いに満ちた、まさにウソのない松本人志図鑑なのです。

「しかし、なんやねぇ」というあたたかい一言から始まり、どんどんと見る者の心に入り込んでくる美しい言葉の数々。ヘタウマを超えながらもヘタウマな筆イラスト。くわえて、洒脱なブックデザイン。そんな松本人志さんの『図鑑』には寒い日にそっとポケットに手を入れたときのあたたかさがあります。小林秀雄さん同様、彼も常に美しいものを探し、頭の中で考えている人のひとりなのでしょう。なぜなら美しいものとは、いつだってあたたかいものなのです。

この二冊でなんとかこの冬は越せそうです。

会いたいひと

これを書いている今日は気持ち良く抜けた青空が間近にあって、そよそよと初夏を感じさせる風がなびいた柔らかな一日です。

美月レンカさんと知り合ったのは表参道の一軒のカフェでした。よろめきそうなか弱さがありながら、タフなまなざしを持った魅力的な女性というのがぼくの印象です。初めて会ったにもかかわらず、どういうわけかぼくと彼女は気があい、二言三言交わしただけで、なんだか昔から知っている友人と一緒にいるような安心感が芽生え、ただただそこに一緒にいる不思議な時間を過ごしたのです。彼女のことを何も知らないほとんどの人が、著書『Loveless 22』を読んでどんな印象を持つのだろうか。

「好きでもない男とセックスしてみた。／二十二にもなってこれが初めての、愛のない、独立したセックス〜」。このような言葉で始まる彼女が書いたこの一冊は、単なる赤裸々に実生活を描いた私小説と思われるのだろうか。女性が女性らしくいる価値観が揺れる現代社会で、愛を思うゆえに剝《む》き出しになっていく自分と向きあい、闇からわずかな光を見つけ、立ち上がって生きていく彼女の姿は、まさに女性の「生」という、わたしたちに見えないものを見せてくれていることと、ぼくには思えて仕方がありません。

すべて彼女の目に映ったもの。それが言葉となり、文章となり、物語となった。

『Loveless 22』は、まばゆい光を見つけられる本。何が宝物なのかを知れる本だと思います。

あれから、一カ月が経とうとしている今、ぼくと彼女は再会しようと約束しました。一緒にいるだけで、何も話さなくてもいい間柄の二人。その関係は友達なのだろうか、そうでなかったらなんだろうか。

ぼくは彼女がたった二カ月で書き下ろした『Loveless 22』を手にそう思うのです。空を見上げたら、風が強くなり、雨になりそうです。美月レンカさんは元気だろうか。会いたくなりました。

河井寛次郎さんの本

あの人に会いたいとか、その声を聞きたいとか。そういうぼんやりした思いが今日という日をあたためてくれます。人と人のつながりは、そこにある出来事だけでなく、そういうぼんやりした思いをふわふわと風に乗せて、お互いの空をあたためあうといったつながり方もあるといいます。人はその最後のカタチだけにどうしても熱心になりがちです。しかし本当はそれとは縁遠いところにあるもの、見えにくかったり、カタチが変わっていたりするものにこそ大切ないのちの火が隠されているのです。そして、そのいのちの火を求めることこそ、日常に美しさを生みだす小さな歩みでもあるのです。

日本におけるモダン民芸の先駆者であり、陶芸家の河井寛次郎さんが綴った随筆『火の誓い』は、このことをぼくに教えてくれた大切な一冊です。

『火の誓い』なんていうタイトルの強さに、ちょっと尻込《しりご》みしそうですがとんでもありません。とてもユーモアに溢れた文章で、またシンプルで明晰《めいせき》な文体ですので誰もが読みやすい一冊です。そして、日々の生活を豊かにしてくれる雑貨や道具に関心のある方でしたら（もちろん！）、読んだ途端、日常に美しさを見つけたいというその思いが、もっともっと広がり、あったかくなるに違いありません。

河井さんは、戦前、日本の農村を廻り、そこに暮らす人々の生活にある手工品に芸術を見出し、「民芸」という言葉を生みました。美しい物はどこから生まれるのか。材料と技術さえあれば、どこでも美しい物ができると思うならば、それは間違いである。河井さんはこう言います。藁《わら》工品、陶器、織物、版画など。民芸はなぜにこう美しいのか。どうしてできたのか。どこでいつどんな人によって成されたのか。そして、その物の美、物の社会性とは。河井さんは筆を静かに進めます。また、これからの時代へ向けた新しい民芸とはどんな物なのか。どうしたら生まれるのか。生まれたならどうして育てればよいのか。そういうことすべてに自ら一歩を踏み出していきます。美術は物から出発し、民芸は事から生まれなければならない。民芸は物より事に重きを置かなければ育たない。

河井さんの言葉は、現代に暮らすわたしたちの胸にもじんわりと染みていきます。

四季を通じ、河井さんが見つめる街の景物。こども、風車売、ゲンコツ屋、千金丹売など。その愛おしいまなざしは乞食さんにも向けられます。そのあたりの章句はとびきりにわくわくします。そして、見渡す自然を愛し抜き、野菜やお米といった作物にその手で触れ、大きな空や陽射しにいのちの窓を開け放つ。今日も裸で働く、すっ裸な仕事の喜びを教えてくれるのです。

借りているいのちを、なんらかのカタチで、人々や物の恩恵に応えようとし、ひたすら美の発見にいのちを捧げてやまなかった河井寛次郎さん。本の後半、読まれる人へと収められた言葉のページがあります。ハッとした言葉がありましたので書いてみます。

「どこかに自分がいるのだ——出て歩く」

「新しい自分が見たいのだ——仕事する」

さてとさてとと思った冬の支度も、なんだか新しい気分で満ちています。ごきげんよう。

鴨居羊子に知る猫のハナシ

関西に店をかまえる『チュニック』というブティックをご存知だろうか。オリジナルの婦人下着、ナイティ、ポーチ、人形など、遊び心あふれる商品でいっぱいのオシャレな老若男女、知る人ぞ知るショップである。最近では代官山で若い女性にカリスマ的人気を誇るセレクトショップ『WR』のディレクター福田春美さんもそのキュートさに一目ぼれし、即バイイング。クチビルのカタチをしたポーチなどショップや雑誌で見かけた人も多いだろう。そんな『チュニック』の創業者は日本が誇る下着デザイナーの鴨居羊子。

「スキャンティ」という言葉は、スキャンダラスなパンティという意味である。なんて素敵な言葉だろう。で、この「スキャンティ」、日本の下着デザイナーの草分けである鴨居羊子が作り出した言葉である。一九五〇年代半ばから六〇年代前半、鴨居羊子はパンティを革命旗のように掲げたスターだった。戦後間もない当時、女性の洋服用下着はまだないに等しかった。国産のブラジャーやコルセットはあるにはあったが、それは体型を補正する締め具としての下着であり、今、あるようなブラジャーやショーツは皆無だったのだ。そんな時代に、彼女は勤めていた新聞社を退職し「何かを創造する立場になりたい」と、女性下着の改良を目指したのだ。そして、彼女は清潔のシンボルとされた白一色の下着界にも反旗をひるがえし、赤や黒、柄もの、透ける下着を作って売り始めたのだ。ウィークリーパンティ。その名も「七色の下着」というテーマもあった。まったく、彼女のネーミングのうまさには頭が下がる。当然、保守的な下着業界からは非難ごうごう。しかし、このときこそが「スキャンティ」という言葉が生まれた歴史的瞬間だったのだ。その後、彼女の作る革新的な下着は、大阪・スバル座で行われた華やかなショーなどで世間の注目を浴び、この年、ブラジャーの売上げ増大。「下着のカモイヨーコ」としてその名を知られていったのだった。

この頃の様子は、昨今、刊行された『岡本太郎の見た日本』にほんの数枚だが、鴨居羊子がデザインした下着をつけた女性を岡本太郎が撮影した写真がある。また、一九五八年には『女は下着でつくられる』という映画を鴨居羊子自身が監督となり製作している。アヴァンギャルドな下着をアピールしたカルト作である。こちらはたまにアート系シアターで公開されている。他、晩年は画家として、エッセイストとして、料理研究家として多方面に渡って活動を広げた、いわば昭和のスーパーレディの一人が、鴨居羊子なのだ。しかしながら、一九九一年、彼女は六十六歳で惜しまれながら他界。今もってその伝説の多くは語りつがれるのだ。

鴨居羊子という一人の女性が前代未聞の下着革命運動を起こしたおかげで、今、多くの女性の方々は、快適であり、オシャレな下着を身に着けることができるといっても過言でないのだ。そこで、今も残る『チュニック』のコンセプトをもう一度見てみると、「おとなの女性のプライベートタイムをよりいっそうステキなものにいたします」とある。これまたなんだか胸にグッとくる言葉である。

さて、本題だが、鴨居羊子が大の猫好きだったハナシも有名である。彼女は「猫の友達は私のことだ」とまで言ったという。そのことは彼女の著書『のら猫トラトラ』を読めばなるほどとすぐにわかる。とても愉快に猫との関係を綴ったあったかい随筆集なので、ぜひたくさんの方に読んでもらいたいが、悲しくもこの一冊は絶版。そこで、そんな『のら猫トラトラ』の中でぼくが好きな一編をここに紹介したいと思う次第である。

「靴屋のミー」というハナシである。大きなキジキジ縞《しま》猫のミーはオス。貧しい一家のドラ息子のような風貌《ふうぼう》のミーと鴨居羊子は一目ぼれで気があって、すぐに友達になったという。ミーの家は狭いので活動範囲はほとんど家の外だった。もっぱらの親友は近所の本屋の猫で二匹はよく週刊誌を並べた台の上でふざけるのが好きだった。

ある日、友達に会いたくなった鴨居羊子は空き地の草むらの前で大声でミーを呼ぶ。どう呼んだのかはわからずだがぜひ知りたいところだ。すると、草むらからジャンプしてミーが出てくる。ミーにはいつも野の香りが充ちていた。そして、野原では豹《ひょう》のように振る舞った。彼女が動物から欲しいのはこの自然の息吹だったのだ。言葉を借りると、「猫が女性的で、ペットとして最高だなんて誰がいっているのだろう。いや殆《ほとん》どの人はそう思っているのかもしれない。ところが私はそうは思っていないし、少なくとも私がつきあっている、市場の裏で出逢う猫たちは、女性的どころか、野獣然とした自由動物だ」(『のら猫トラトラ』より抜粋)。このように、鴨居羊子は自分の知る猫たちを、友人として、また一匹の野獣として付き合っていくのだ。このあたりの乾いた感情がとても気持ちが良い。呼ばれたミーはそんな彼女の脚をそのしなやかな身体で一度ぐるりと巻きつけて、友情を示したかと思うと、すぐに別れを告げ、また草むらの中に身を躍らせた。この二人の距離感の描写が読んでいて、とても爽快なのだ。猫だって犬のようにあけっぴろげで、なんのわだかまりもなく友達になれるということをここでぼくは発見するのであった。

このように久々に鴨居羊子の『のら猫トラトラ』を読み返したのだが、それからというものぼくの仕事場の建物に居着いている白黒ぶちの小猫が妙に愛おしくなった。一目合えば「ニャア」と声をかけてくるくせに、手を出すと身構えて後ずさりする。背中を見せるとまたもや「ニャア」と一声。きっと此奴《こやつ》は頭をなでてもらいたいのではなく、単に友達になりたいのではなかろうか。生きていく手段にお前の助けはいらない。しかし、挨拶《あいさつ》くらい、もしくは、「元気か」「おう元気だ」と声をかけあう同じ屋根の下の仲でいようじゃないか。そんな素振りなのである。ここに鴨居羊子の言わんとしている猫との関わりが見つけられるのだ。「ニャア」と言われりゃ、「オッス」でいいのだ。そう思ったら、何がうれしくて、今まで猫をつかまえては、良しとして愛撫《あいぶ》してきたかわからなくなった。猫からしてみれば意外と迷惑だったのかもしれない。ぼくは急に「ゴメン、悪かったな」とあやまりたくなった。くわえて、それでもじっと我慢していた猫のエラさに胸が詰まった。いいね、猫って。

変わることへの誘い

毎日を楽しみに変える。できるだけ工夫して毎日を手作りしてみる。演出家であり文筆家の萩原朔美さんのエッセイ集『毎日が冒険』は、読めば読むほどそんな気にさせてくれる小さなおハナシがつまった一冊です。そこにある言葉はくちぶえのように軽やかで、肩のこらないゆっくり感がとても心地良いです。

街を歩けば毎日が冒険。忘れ物をしたり、望遠鏡を逆さまに見たり、雨を目薬にしてみたり……。どんなにつまらなくても一日はいちにち。ならば、ぼうっとしててもいいから自分流のひとときを楽しく手作りしてみよう。たとえば、ふと見上げた空に雲があるだけでも、それで遊ぶことや、なごんだひとときを作ることが誰だってできると知るように。さらにこの一冊は、てのひらに収まりそうに小さいくせに、しっかりとした箱と丁寧な装丁がとっても魅力的。このちょっと小さめで、ちょっと厚いというのが、この『毎日が冒険』らしさなのでしょう。そして、こういう本はきっとみんな好きでしょう、と思うのです。

アメリカにて若い人から絶大なる支持を得ている女性作家フランチェスカ・リア・ブロックの新作『nymph』が届きました。独特なるオルタナティブな幻想作品に続き、今作は大人のためのベッドサイド・ストーリーです。内容は眩しいカリフォルニアを舞台に始まる愛とセックスの物語が九章。

ちょっと傷ついていたりトラウマがあったりする魅力的な登場人物が、セックスによって真の愛を見つけ、精霊の言葉に耳を傾け、その不思議な魔力によって自分自身を変えていくエロティックなストーリー。一つひとつが短編ですが、それぞれが他の章とやんわりとつながっていて読みごたえはたっぷりです。セックスがいかに人を幸せに変えるのか、セックスがいかにファンタジーで官能的なのか。やさしさに満ち溢れた作者の詩的な文体は、刺激的でエロスな深い世界へと私たちを誘うのです。

HENRI'S WALK TO PARIS

その地にそびえる長い空、大きな風景、そよぐ風に、憧れと希望を抱き、誰しも旅の支度を始めるのではなかろうか。

十五年前、何も知らないぼくはただひたすら自分だけを頼りに、自由と夢に溢れるアメリカにすべてを賭《か》けて旅立ちました。泣いたり、笑ったり、傷つきもしました。悪いこと良いこと。出会いと別れ。いろんなことがありました。ひたすら、とどまらずに各地を巡る旅。そんな多くの旅の時間で出会った沢山の人や、場所、時間、風景、スピリットなどから与えられた大きな力は、今でも色あせることなく、ぼくの身体に充満し、与えられた以上の何かを自分が行うために発揮され、その循環のために、ぼくはまたさらに新しい旅に出かけるのです。

そんなぼくにとって旅を感じさせる一冊とは特別なものです。透き通った旅の時間が存在する本ほど手にして愛しく思うものはありません。

『HENRI'S WALK TO PARIS』。二十四の見開きでしかないこの一冊の絵本。作者はレオノール・クライン。そして、そのグラフィカルで映像的ともいえるイラストとデザインはソウル・バス。刊行は古く一九六二年。A4サイズのオレンジ色のハードカバー表紙、中身には中間色と余白を多用し、一見開きにそっとささやかな文章だけ、くわえて、ページを追うごとにインパクトのあるイラストの映像的な連続。そこにあるのは、まさにあの旅のリズムとスペクタクル。夢、希望、喜び、勇気、恐怖、驚き、そして、最後に主人公アンリは自分が一番愛するものを見つけるのでした。

ON THE ROAD

ジャック・ケルアックの『路上』を初めて手にしたのは十七歳の夏だった。そして、ヘンリー・ミラーの『北回帰線』によって欲望を解放されたのは二十歳。『草の葉』のウォルト・ホイットマンや、エマーソンの『自己信頼』が放つ言葉の数々は、ぼくの身体の中を稲妻のごとく駆け抜けながら、いまだどこか収まる場所を探し続けている。

ネイティブアメリカンにはメディスィン・ウォークという自己探求の旅の儀式がある。そしてヴィジョン・クエストを迎える。大自然の中、自分自身と真っ向から向きあい、孤独と戦い、母なる大地から教えを知るという。そのために歩く。歩き続ける。

青い空、あたたかくそよぐ風、その土地特有の心地良い匂い。それらは、どれもがいつもと違ったものだ。今、ぼくは旅の道すがら、九州、熊本で朝を迎え、場末のコーヒースタンドでかぼちゃのスポンジケーキを指でつまみながらコーヒーを飲んでいる。知らない土地における新しい朝ほど、とびきりに初々《ういうい》しい気持ちはない。そんなとき、ぼくは自分が旅をしてきた数々の土地の記憶に思いを馳せる。

ニューヨークに太陽が沈むとき、ぼくはリバーサイドパークのベンチに腰を下ろし、遠くニュージャージーを覆う長い空を見つめる。サンフランシスコの高い丘の上まで登ったバスから僅《わず》かに見えた小さくて青い海。ブリュッセルのホテルの窓から見渡したその歴史が築いた美しい街並。そして、『路上』の文末で作者がそうしたように、ぼくはいつも誰かのことを考えるのであった。

熊本の繁華街は、何も目的を持たずにただ歩き廻るにはちょうどいい大きさだった。十月の終わり、ここでは、肌寒い東京から移動してきたぼくの上着は必要なかった。汗ばむほどあたたかかった。ぼくは上着を片手に街行く人に次々と追い越されながら、まるでネイティブアメリカンのように軽やかにゆっくりと歩く、歩く。

ビルとビルのすきまから射し込む朝の陽射しが気持ち良くて、ふと立ち止まっていたら、ゆっくりとゆっくりと野菜を乗せたリヤカーを引く腰の曲がった老婦がぼくの目の前を通り過ぎていく。現在、トラックで移動書店を営んでいるぼくは、自然とその老婦に感情が向き、「うん、移動八百屋かあ、遠くからリヤカーを引いてきたんだろうなあ」とつぶやき、なぜか路上というフレーズの強さを感じたのであった。

「こんにちは、トマトを二つください」

「あい、百五十円」

「ありがとう、お元気で」

身体に似合わず、大きくて陽に焼けた手、透き通った瞳。老婦は一瞬だけぼくの目を見つめ返事もせず、黙々とリヤカーを引いて立ち去った。

今回の旅の友といえる一冊は、前述のジャック・ケルアックの〝最後の路上〟といわれた作品『ビッグ・サー』である。『路上』によって一躍ビートニクのヒーローにされてしまった作者の最後の旅随筆である。カテゴライズされるのを嫌い、孤高を貫き、旅に真実を求める作者の純粋な言葉と記録がそこにはあった。

ぼくは街を歩き廻った末、名将加藤清正が築いた熊本城のてっぺんに登って、遠い空と長い地平線に目をやり、つぶやく。

「夜になって、空が晴れきって星や月が出たら本当にきれいな眺めだろうなあ」

そして、心の中で数えきれないうわ言のような言葉を叫んだ。

ぼくが旅で培い、大切にしてきたもの。言葉にすると〝何者にも服従しない幼さ〟である。それは、あのリヤカーを引きながら野菜を売る老婦の瞳の中にも輝きをもって存在していた。

ぼくはなぜ路上にこだわるのだろうか。

たとえば、この歳になってから海が好きになりました。
なんて、云ったら可笑しいでしょうか。
水泳は得意です。水の中から見る、外のキラキラした明るい光を、
見るのが好きです。プクプクと耳もとではじける空気の粒。
なんともいえぬ水の抵抗感も心地良い。
それなのに、小さい頃からどうしても海という存在は、
ぼくにとってこわいものでしかありませんでした。
サーフィン。遠泳。経験ありますよ。だけど、それは、
いつも心の中で「こわいなあ」と思いながらのことです。
どうしてだろう。
海に遊びに行くのは楽しいし、
遠い地平線をいつまでも見つめるのも気持ちいい。
それなのに、沖にどんどんと泳いでいくのがこわいのです。
全身が何かに押しつぶされて、手も足も動かなくなるほど、
たまらなくこわいのです。

今年の夏は何年かぶりに海に行きました。
伊豆下田のすばらしく美しいビーチでした。
ぼくはいつものように水着には着替えたけれど、
そう、確か、ヘミングウェイの『老人と海』を片手に、
パラソルの下、漂白されたのかと思えるくらい
真っ白なビーチチェアに背中を預けて、
真っ青な空と深い水色の海を眺めて、ゆっくりと流れる時間を楽しみました。
ヘミングウェイの旅のロマンスをまぶたに浮かべながら……。

暑くてたまらなかったからではありません。
ぼくは急にあの水平線に向かって泳いでいきたい。
そう思ったのです。
どうして人は海に入っていくとき、走るのだろうか。
ぼくも小走りに海に向かって走りました。
波の音がぼくの身体を包んだと思ったら、ザブン！
挨拶がわりに大波のパンチ。ぼくはエイと一気に手を前にのばして、

ゆっくりとしたクロールで泳いで泳いでいきます。
海水が身体に違和感を感じなくなるまで、泳いで泳いで。
「ハアーッ」。今、ぼくがいる場所はどのくらい深いのかなあ。
身体はゆらゆら、ゆらゆら。
後ろを振り返ると、ぼくの座っていたあの真っ白なビーチチェアは、
もう見えませんでした。生まれて初めてこんな沖まで来てしまった。
でも、そこに浮かぶ気持ち良さったら、mother earth
母なる地球と一体になる自分がそこにある。
そんな気持ち良さでした。うん、気持ちいいなあ。
しばらくの間、ゆらゆら、ゆらゆら。
ぼくは目をつぶって、ゆらゆら、ゆらゆら。

今、手元にあるホンマタカシさんの写真集『PUT ME IN THE WATER』は、
ぼくにとって、あの夏の海での瞬間を思い出させてくれた一冊です。
誰だって持っている、あの日、あの時、あの海の思い出。
ホンマさんの内なるまなざしは、いつだってぼくの心の奥にあるトビラを、
トントンとノックして仕方がありません。

ガリバー旅行記

今日は空が真っ青に輝いた一日でした。そして、夕焼けが街を黄色に染める頃、歩いていく横丁に裸電球がぶらりぶらり。買い物おかあさんの腕がまぶしい。垣根から「わーい」と子供の叫び声。台所から「トントントン」、お風呂場からざあざあとお湯の音。「いい風だなあ」とみんなのくちびるはニコニコしてる。明るく艶のある盛夏から、しなやかな早秋にかけての街風景。ぼくは青い夜空を見上げ、流れる雲を見つめる。見えなくなるまでずっとずっと。

こんなまばゆいひとときで思い出す物語。誰もが息をのみ、目を見張り、黙ってここにしまってきた物語ってあります。いつか、どこかで、そして今も。

十六年と七カ月の不思議な旅行記。そう、みなさんご存知、ガリバー旅行記です。ぼくはこの物語が大好きで大好きで、その愉しみ、その素晴らしさをたくさんの人に伝えたいなといつも思っています。

ガリバー旅行記は、今からおよそ二百五十年ばかり前、ジョナサン・スイフトという人が書いたものです。小人国のハナシなら誰でも知ってますよね。漂流先の島で目が覚めたら小人たちに手足を縛られたガリバーの様子。夏の日、ぼくはどきどきわくわくしながらその世界を想像したものです。そんなガリバー旅行記は小人国、大人国、飛島、馬の国の四章からなる大作です。ガリバーはほんとに風来坊のような旅人で、奥さんや子供もいるのに、何かと理由をつけてすぐに旅立ってしまいます。それも何日ではありません。あるときは何十年もです。そして、奇想天外な出来事に出会い、ドタバタとあれやこれや。まるで、寅さんです。ぼくは子供の頃、ガリバーはどうしてそんなに旅に出るのだろうといつも思いました。そして、いつかぼくもガリバーみたいな旅に出たいな。そんな風に思ったものです。

さて、ぼくの手にある一冊は『原民喜のガリバー旅行記』です。今は悲しくも絶版です。原民喜さんは一九四五年八月六日、広島にあって被爆された一人でした。そして、戦後日本文学の忘れ得ぬ名作『夏の花』を書いた作家です。彼がその人生を終える直前に、再話として魂の底から湧き出るような言葉で刻み続けたのが、この『原民喜のガリバー旅行記』でした。

旅の最後に訪れる馬の国（フウイヌム）。その物語はユートピアの物語です。静かでおだやかで理性的な生きものである馬の国フウイヌムには悪というものが存在しません。その言語には、権力、政府、戦争、法律、刑罰という言葉もありません。フウイヌムで大切なのは友情と慈愛です。原民喜さんは「原爆」という今の私たちには想像すらできない世界を見て生き残った人です。そのいのちを果たすために書いた作品が『夏の花』であれば、この『原民喜のガリバー旅行記』は、その続編であるとぼくは思うのです。

世界が向かうべき平和の世界。それを願う作家の祈りの言葉、書き残してくれた物語こそが『原民喜のガリバー旅行記』なのです。

夏になると手にする『原民喜のガリバー旅行記』。いつまでもこころにしまい続け、何度でも何度でも読み続けたい物語です。そして、ぼくの大切な宝物なのです。

この出会いを繋げたい

「みんなちがって、みんないい」。童謡詩人金子みすゞが二十六歳で自らの命を絶ってから八十年近く。にわかに彼女の詩が再評価され、各方面で取り上げられる昨今。みすゞが生きた時代とはどんな時代だったのでしょうか。女性が生きていくことに今より多くの困難のあった日本が大陸に悲しい夢を見た大正時代です。みすゞは生前五百余編の詩を小さな三冊の手帖に書き残しました。誰かに見せるつもりもなく、ただひたすら子供を背にして書き続けたのです。

ぼくは思う。現在だって女性が決して生きやすい時代とはいえません。みすゞのように書きたいこと、唄いたいこと、叫びたいこと。きっとみんなあるのでしょう。

ぼくと金子みすゞの出会いは、岩波文庫の『日本童謡集』に収録された「大漁」という詩でした。彼女の名は西條八十の随筆で知り、かの一冊を手にしたのです。それからというもの、彼女をもっと知りたい、彼女の詩をもっと読みたいと痛切に思い、やっとのことで全集を手に入れた次第でした。「日々の出会いを見つめる。それを文字にする」当時、駆け出しの物書きだったぼくにとって、それはとても大きな出会いでした。生きるということは出会いの積み重ねです。それは人であったり、風景であったり、時であったり様々です。そして、そんな出会いは偶然ともいいますが必然でもあります。出会いを見つめる澄んだまなざし、みすゞから与えてもらった宝物。

もしあなたが女性であれば、あなたの大切な人に金子みすゞを与えてあげてください。そして、あなたが男性なら恋人に。生命を大切にしない文化を作り上げてしまった時代だからこそ、あなたの大切な人を守るために、手にして読んでもらいたいと思います。

すくすく育つ「ププ」を、たくさんありがとう

フランスのポスター画家、サヴィニャックの作品で「一番好きなのは？」と聞かれて思う一冊があります。数年前、ニューヨークの二十一番街にある古書店『スカイライン・ブックス』の軒先で手にした、フランス語で書かれた五〇年代のエロティック小説でした。それはタイトルや作者名を見てもまったくピンとこない無名の一冊でしたが、表紙に描かれた真っ裸の少年の股間から、ピーンとまっすぐに立つ若葉しげる枝のイラストが、なんともエロティックで、とってもユーモアに溢れていて、「ププ」と思わず笑ってしまったのでした。そして、このイラストを描いた作家を知りたいと探し、見つけた名がサヴィニャックだったのです。

「モンブラン」「エア・フランス」「ビック」「ダンロップ」「シトロエン」……。挙げていったらキリがない氏が手掛けた企業ポスターの数々。ご存知でしょうか。我が国でも氏は大活躍しているのです。古くは「森永チョコレート」や「豊島園」。最近では、ある大手銀行のキャンペーンポスターなどなど。もちろん、どれもが「ププ」とうれしい笑顔を見る人に与えてくれるものばかりです。

さて、今日も氏はノルマンディ地方の小さな港町トルーヴィルにて、九十四歳でありながらも元気に絵筆を動かし続けています。聞くところ「何より人が大好き」と言うサ

ヴィニャック。ぼくらはもっともっとあなたが大好きです。そして、あの一冊からもらった幸せは、ぼくの中でそこに描かれた枝のように、すくすくと育っています。いつまでもお元気で。そして、たくさんありがとう。

追記
レイモン・サヴィニャック氏は二〇〇二年、九十五歳で亡くなられました。僕らにたくさんの素晴らしい作品を残してくれたことに心から感謝します。

ネイティブな旅を編んだ写真集

シーラ・メッツナーの『INHERIT THE EARTH』を選んだのは、ぼくが写真に関心を持ち始めてから最も多くの作品を見たといえるのがシーラ・メッツナーだと思うからです。多く見たとは、単に量においてのみならず、深く立ち入って見ることが多少はできたという意味において、ということです。もちろん、同じようにぼくが多くを見たといえる写真家たちは他にもいます。H・C・ブレッソン、R・フランク、W・バロック、B・フォコンといった作家たちの作品は、その時々、かなり集中して見たということができます。それらはそれぞれ、少なくともぼくにとっては大切な出会いの意味を持つ経験であったと思います。しかし、彼らに対する熱中は『イタリアンヴォーグ』にてメッツナーがモデルを夕暮れのマヤ遺跡に立たせて撮った原始宗教を感じさせる一枚に初めて出会った驚き、もしこんな言葉が使えるならば、畏怖《いふ》の念の、長年にわたる持続と比べると、どうも質が違うような気がします。その気持ちを改めて感じた写真集が「Blessed are the meek…」という言葉で始まるこの一冊なのです。

約十五年かけ成し遂げた偉業ともいえるイースター島からアラスカ、エジプトなどといった聖地巡礼の旅。彼女はそこで何を見つめ、何を記録したのか。特別な表現を生む「フレッソン・プリント」によって浮かび上がるその答え。ぼくはどんなに腕をまくってもそれを解説する言葉を思いつきません。考えても、ただ耳元で風が鳴るだけなのです。

まあるい水玉になる午後

　ある休日の午後、まだ一月だというのに、その日は四月のあたたかさを思わせる日和でした。なので、自宅のベランダでぼんやりすることはとても心地良くて、こんな安らかなひとときは久しぶりだなあ、なんて思いにいつまでも耽っていたら、なんだか自分と同じようなくつろぎ具合を見せている存在にぼくは気がつきました。隣の家の台所の屋根に丸くなっている彼。そういつもそこで寝転がったりと自由気ままにしている一匹の三毛猫です。彼だか、彼女だかわかりませんが、ぼくの印象としては彼なのでそういうことにします。彼は静かにじっと何かを見つめているようでそうでなく、何か深く考えているようでそうでもなく、ただわかるのはとても自由に、とてもスローに生きているということです。スローというのはのろまということではなく、人間のようなスピードという観念がないということです。もっというと、時間をそのまま大切に嚙みしめながら生きているということでしょうか。まあ、そんな彼ですので、ぼくにとっては好印象には違いなく、どこかでオバサンにシッシと追いやられて迷惑がられても、彼の居場所である屋根に戻ってきたときには「気にしなさんな」と声をかけて元気づけてやることにしています。たとえば、こっちがへこたれていたら、彼は真っ白なお腹をゴロリと寝返りをして見せてくれたりと、まあ、お互いさまってことです。今日も彼は静かにそこにいます。彼はいつも何を見ているのでしょうか。

先日、友人の沼田元氣さんから一冊の本を贈っていただきました。『水玉の幻想』というとっても素敵な写真絵本です。沼田さんは写真家であり詩人であり文筆家でもあり、また、街のともしびなるカフェや小さな景色をぼくらにいつもそっと教えてくれる人で、何よりも人間なのに珍しいほど、あの三毛猫のように自由で純粋でスローな存在なのです。

この『水玉の幻想』は、水のひとしずくから宇宙を見る絵本でもあります。世界のあらゆることを映し出す水玉。ひとしずくの水玉から世界を見てみる。この本の真ん中にはのぞき穴のような小さな穴が開いています。この一冊を手にした人はきっとこの水玉のような穴からどこかをのぞくのでしょう。そうしたら、もっと世界が明るく、平和に見えるかもしれません。もっと美しいものが見つけられるかもしれません。ページをめくれば魔法にでもかかったように安らかな気分になります。アートの目的は人を幸せにすることだと、沼田さんはいつかぼくに言いました。まさにこの写真絵本はたくさんの人を幸せにするために作られたものなのです。ありがとう、沼田さん。

もしかしたらあの三毛猫は水玉の秘密を知っているのかもしれません。きっと人間よりも賢いに決まっているのだから、そうなのでしょうね。ぼくが思うに、猫は生きていくために大切にしなくてはいけないものは全部知っているはずです。そのうちのひとつが、ひとしずくの水玉をのぞく幸せなのです。

今日も明日もあさっても、ぼくの自宅のベランダから見える屋根には彼がいます。幸せそうな彼を見ることで、ぼくの中にある何かがまあるい水玉のように変わっていくようなのです。

やっぱり眩しいマックィーン

足が棒になるほどサンフランシスコ中を歩き廻って、映画『ブリット』に出てくるスーパーマーケットを探しだし、彼を真似してピーナッツバターのサンドイッチとミルクを買ったときほど、うれしくていつまでも顔がほころんだことはなかった。そして、テーブルにドーナツやコーヒーを散らかして子供のように指をなめている、どこかの雑誌から破いた彼の写真を部屋の壁に貼っては眺め、腕白というより、まぎれもないその不良の姿に羨望のまなざしを向けたのだった。

写真集『Steve McQueen』。ぼくはこの一冊を見れば見るほど、自分のあの日、あの時を次々と思い出し、また何か新しい出会いを感じるのだった。

おどけた少年のような表情を浮かべたり、札付きのワルの目つきを見せてみたり、冒険者のような澄んだ瞳を輝かせたり、それは撮影風景のひとときであったり、家族や友人と一緒にいる安らいだ休息であったりと様々だ。そんな未発表写真も多いこの写真集はどのページを開いても、いまだにぼくの目に眩しく映るものばかり。特にプライベートで見せる彼のトラッドでありながらラフな数々の着こなしは、今すぐにでも真似したくなるほどスタイリッシュだ。

きわめつけは『マンハッタン物語』での、彼とナタリー・ウッドのキスシーンの写真だった。まさか自分がキスの仕方まで彼の真似をするとは思いもしなかったが、この写真を見てしまったからには仕方がない。そう思ったら、どんどんと胸の鼓動が波打った。

偉大な写真家の知られざる一面

壮絶な戦いで名を馳せたノルマンディ侵攻作戦への支度に、バーバリーにて高級なレインコートを、ダンヒルにて銀製のポケット・フラスコを購入して出かけ、その戦いで最もシックな侵攻者だった写真家。また、報道写真家集団『マグナム』の創立者の一人であり、昨今、著書である『ちょっとピンボケ』がランダムハウス社のモダン・ライブラリー・シリーズのタイトルに加わったことで、友人へミングウェイと肩を並べた文豪。そんなロバート・キャパの存在は今や伝説です。

そして今、その伝説の重さをじかに感じる分厚い一冊『THE DEFINITIVE COLLECTION』が届きました。なんて素晴らしい！　この写真集のページを一通りめくったぼくは思わず息を飲み、声をあげてしまいました。そこには誰も知らなかったであろうキャパの新たな境地があざやかに存在しています。そのほとんどが未発表で報道写真という枠を外して新たに選ばれたキャパのヒューマニズムに溢れた作品の数々。愛機コンタックスのファインダーを通して見つめた彼のまなざしは、報道といったドキュメントを目的とするものだけではなく、ユーモア溢れた人間風景を包み込む、美しい光と影の世界にも向けられ、まるで小説の一場面を思わせるようです。

キャパはこう語る。「大切なのは出来事の部分だ。何が真実かは全体像ではなく、切り取った一部分を見れば判るんだ」。そんな人間らしさと勇気とセンスに僕の目は星になった。

闇の中にある色彩

アメリカの中西部を車で旅すると、いつの間にか、不思議な色彩風景に迷い込んだ気分になります。目に映るのはあざやかな三原色とアースカラーの連続。そして、それらを照らす陽射しが作り出す、まったく新しい色のグラデーションによる光と影の世界。そんな光景に出くわすたび、いつもぼくの頭に浮かんでくるのが、写真家ウイリアム・エグルストンでした。

カラーポジの色調コントロールを、作家自ら手作業で行う「ダイトランスファー」という独自の技法によるプリントで、七〇年代後半、アメリカ写真界に「ニューカラー」旋風を巻き起こしたエグルストン。

この写真集『William Eggleston』は、パリのカルティエ財団現代美術館で行われた展覧会をまとめた一冊です。内容はとても充実したもので、初公開となった六〇年代のモノクロ作品。そして、彼が生まれ育ったテネシー、ミシシッピ、ルイジアナという、アメリカでもある種、孤立した土地の景色を幻想的に切り撮った代表的な作品。くわえて、この写真集の表紙をも飾った、今回の展覧会のために訪れた京都で撮った最新作の数々。

見えないものを見せるのがアートであれば、エグルストンの写真は、一見、そこは闇の中で見えないけれど、実はあざやかに存在しているまばゆい色彩を映し出すことで強烈な詩的イメージを生んでいるのです。あたかも、私たちがいつか見た夢の色、いくつもの記憶が重なってできた濃厚な色のように。

5

くちぶえサンドイッチ

01

ぼくは食べ物の中でおにぎりが一番好きだ。いや、カレーの次に好きだ。ましてや中身が焼きタラコであれば、その一日がすこぶる幸せな気分になる。誰に会っても「こんにちは」と聖歌隊のような透き通る声が出せるし、何が起きてもひざを折ってアハハと笑っていられる。そして、夕暮れになれば今日一日に感謝をし、ふと、となりにいる誰かを抱きしめたくもなってしまう。そしてそして、深夜ベッドに入って目をつむったまま「フッ」と含み笑いをしたりもする。それが自分にとっての幸せであるかいなか、少なくともささやかな平和であるには違いないのだ。なので、そんな平和な、今日という時間はゆっくりと過ごしたい、いつもそう思うのである。

今日もぼくはおにぎりを片手に一日を始める。もちろん、中身は云うまでもない。と、ほお張ったらポロッと中身が地面に落ちた……。

ぼくは空を仰ぎ大きく一息ついて、今日一日が早く終わればいいなと思った。

そんな日もあり。

02

初夏の陽射しがなんとも丁度良く、こんなに爽やかな日はないというのに、なぜ、今日のぼくは苛《いら》ついているのだろう。

人は誰でもお金をさわらずして生きていくことはできない。しかし、それにべったりとさわらないように心がけるのが、いや、さわっていないように見せるのがスマートな生き方といえようが、ぼくの今日はそんなお金がべったりと絡みついた一日であった。

お金のハナシは正直シンドイ。何も問題がなければそのハナシをする必要もなく、「じゃ、ヨロシク」で済んでしまうわけで、「お金のハナシは苦手なので」と逃げられる件と、逃げれない件があり、ぼくの今日は逃げれない件だった。

要は自分も含めて、みんなお金は欲しいのだ。欲しいから失いたくないのだ。失いたくないから問題になるのだ。以前、恩人がこんなことをぼくに云った。

「お金はその人に必要な量しか入ってこないんだよ。沢山入ってくる人は、それだけそのお金を使う役目がある。そうでない人は、まだ自分の役目にお金が必要ないんだよ」

自分に与えられた役目を果たすための道具がお金。ってことは預かりモノでもあるんだな。ま、それも一理、と思ったら、ちっとは気分が楽になりました。役目が大きい人は大変ですね。

03

「色」について書いてみようと思う。

『日本の色』(大岡信/編)によると、まず、日本語の「色」とは、もともと色彩の意味はなく、古い言葉でいう「いろせ」は兄の敬称、「いろね」は姉の敬称、そして「いろも」とは恋するものの呼称である。つまり敬い愛する人について「いろ」という言葉を使っていた。くわえて、漢字の「色」についていうと、上部の「ク」が人間のカタチを表わし、下部の「巴」も人がひざまずいているカタチであり、「色」という字は二人の人間が重なりあっている様子を表わしているらしい。もっと深く考えると、それは男女の性行為を意味し、そこから生じる感情の世界、さらには美しいものへと意味が展開し、やがて美しいものが五色の色あざやかさというように、さまざまな色に分化していったのだ、と書いてある。こりゃ、面白くなってきた。そこで、山本健吉の書いた名著『ことばの歳時記』も開いてみると、日本語には色の名詞はたくさんあるのだが色の形容詞は意外と少ないということも指摘している。ふんふん、なるほど。

古い映画や小説の中で、たまに「ぼくのイロ」と云って小指を立てる仕草に出会うが、その源はアノ行為から意味を発しているのである。粋なのか下品なのかワカラナイ。

ということで、「色」から日本語の文化史まで探る今日の暇つぶし。

04

陽射しの眩しさと連休ボケで足下おぼつかず、朝の用事を済ますため、ゆらゆらと歩いていたら、手をつないで歩く親子が目の前をトントンと横切った。母親は二十代、男の子は三歳くらい。急ぎもせず、いかにも朝の散歩という感じで二人はゆったりとまっすぐ向いて歩いていく。ぼくはそのゆったりというリズムが見ていて心地良く、思わずその後ろ姿を微笑ましく見送った。

その男の子は母親の手をしっかり握っているのだが、その握った手は母親を頼るような、いかにも子供が親に抱っこされるようにつかまっているのではなく、まさにこれは人と人との関係、そんな二人で築きあげられた強い絆がぼくの目にはしかと見えた。

こんなに爽やかにしっかりと手をつないで歩く二人を見たのは正直うれしいショックであった。その親子にとってはなんでもないことだろう。しかし、手をつなぐことなんて今更照れ臭いなあ、だけど、たまには手をつないで歩きたい。でも、ヤッパって思うぼくだから二人に羨望のまなざしを送らざるを得ないのだ。

一人でしっかりと歩けるからこそ、誰かと手をつないで歩けるんだな。なんか美しいな。

05

最近、見る夢のテーマは人。小さなストーリーにある人物がクローズアップされるような夢ばかり。昨日はあの人、その前はあの人というように。それも普段会うはずもない憧れの人ばかりなので、ぼくは照れ臭く「こんにちは」と挨拶することからハナシが始まります。

夢であろうと現実であろうと誰かに会えるってうれしい。たまに何かがこんがらがって誰とも会えないときもあるけれど、いつかは直るから、じっくりと一人でいるのも良しですが、できればいつも誰かと会っていたい。

「こんばんは」そんなことを考えながら窓の外の夕焼け小焼けを眺めていたら、涼しい風と一緒にうすばかげろうがやってきました。体長三センチ、羽を広げると八センチ。誰が付けたか、またの名を「がとんぼスミス」。美しい脈を透き通った羽に描き、飛ぶというよりフワフワと空中を歩いているようです。突然の来訪は困ります。でも、今日は一人だからいいよ。うすばかげろう、漢字で書くと薄羽蜉蝣。その一生のほとんどは幼虫アリジゴク。すごい名前だな。彼の空中を歩ける人生はほんのわずか。

うすばかげろうの一生は、か弱く短くも美しい。今日のささやかな出会い。ありがとう。

06

「やらずの雨」という言葉があります。もう帰らなくてはいけない恋人に「せめて、この雨が止むのを待ってからにして」と袂《たもと》をつかむ女性の気持ちを表わした、切なくも可愛らしい粋な言葉（ことのは）です。何もかも上手くいかず、自信を失っていたとき、友人がこんなことを云ってくれました。

「誰かを好きになったときの気持ちを思い出すといい。そんなときは寝ても覚めてもその人のことを考え、その人の恋人になるためだったらなんだって努力するだろう。一生懸命に自分を伝えるだろう。結果がどうであれ悔いのないようにね。そんな気持ちを、仕事や自分がやり遂げたいことに向ければ成功しないわけがない。だから、一度でも恋愛をしたことがあれば、それだけで大きな自信を持っていいんだ。少なからず、誰かが一度でも自分を必要としてくれたということだからね」

ぼくはこの言葉を一生忘れないでしょう。そのとき、背中を丸めて歩いていた自分に大きな励みになったのは云うまでもありません。

人を好きになることは素晴らしい。それが片思いであろうとも、自分の生活にささやかな力がこもるのです。自分を見てもらいたい、自分の何かを伝えたい。そう思う心ほど美しいものはないのです。梅雨がやってきました。今日もどこかで「やらずの雨」かな。

07

いつものように、何かにつまずいて一歩も前に進めなくなったとき、ぼくは自分の胸に手をあて、胸の奥にある何かを探るのです。それは自分だけの方位磁石。今、その針はどっちを指しているの。

誰でも胸の中にこんな方位磁石を持っているはず。その指針の向きは誰にも干渉されず自分でもその向きは変えられない。それでもその方位磁石は本当なのです。ピタッとその方角を強く指すときがあれば、ユラユラと方角が定まらないときもある。

今日もぼくは、その指針が指す方角へ歩くのです。その先が真っ暗闇であろうと、がけっぷちであろうと。

だって、それは本当だから。本当っていうのは勇気です。

注意しなくてはいけないこと。方位磁石は水平に保たないと正確な方角を知ることができないのです。そうしないと指針がグルグル回ってしまいます。グルグルと。

方位磁石を水平にすること。それは自分がいつも透明に澄みきった水のようでいること。単に美しくあれというのではなく。よごれた自分であっても澄みきった水のように浄化する勇気と力を信じるってこと。

ぼくの方位磁石はグルグルだったり、ピタッとしたり、今日も忙しいです。

08

心地良い指先の痛み。ギターの所為《せい》です。一度、十四歳で挫折《ざせつ》しましたが、今頃になって急に熱が上がった次第です。毎日まいにち仕事の合間に弦を弾き、大事な電話中でもふところにギターを抱いていれば安心。そんなウエストコーストな気分だから手に負えません。読みかけの本だってあっちに放ったらかしなんだから。

云い分を聞こう。旅先で一文無しになってもギターさえあれば、その日の食事代くらいはなんとかなる。友達だってすぐにできる。どこかで何時間待たされてもギターがあれば退屈しない。上手く弾こうなんて思ってない。ただ、自分だけの音がいくつか出せればいいのです。それがうれしいのです。暇なとき、パソコンを触るより、ギターを弾いたほうがよっぽど心地良い。

今日は朝の珈琲を一緒する友人にギターを見せるためにカフェに持っていきました。やっぱ友人は持つべきです。「いいなあ」って、にこやかに云ってくれました。店の人から笑われたってお構いなし。

読書、ギター、読書、ギターの繰り返しで旅ができたら、ぼくはもう何もいらないかも。

09

cirrus という名の雲を知っていますか。白い羽毛のようにフワフワしていたり、青い空に刷毛《はけ》で引いたような雲のことです。巻雲ともいうらしいです。

今日の cirrus は北のほうへゆっくりと流れています。太陽がまだ上にあるので見つめていると眩しい光が瞳にパチパチと入ってきます。でも、目を離したら消えてなくなりそうだから、目を細めながらずっと見つめるのです。どこから来てどこに行くのだろう。行き着く前に消えるのでしょうか。大丈夫、ぼくが見ているから。

ささやかな自分だけのひととき。何時間だか何秒だかわからないけど、こういった時間が日々いろんな所に迷い込むぼくを元の場所に戻してくれるのです。

新しいことを始めるということは同時にひどく孤独を痛感することでもあります。しかし、それが純粋であり正しいことでありさえすれば、あわや誰一人味方になってくれなくても、宇宙というはかりしれない存在が味方になってくれます。一番心強い味方です。

大空には風があり、雲があり、まばゆい太陽があります。今日のぼくはそれだけで淋しくないのです。孤独とは人間の条件なのです。

10

眩しい朝の陽射しを見上げて想うのは「今日もありがとう」という感謝の言葉です。生まれてから今に至るまで、こうしてぼくが元気でいられるのは家族を含め、たくさんの人々から与えてもらった力があってのことです。

与えられてばかりのぼくだから、いつかみんなに恩返しをしたい。「ありがとう」という言葉を胸にいつも考えてきました。で、今、ぼくにできること。それはせめて毎日、元気いっぱいでいることです。どんなことをしていたって元気な笑顔でいる。それがみんなへの小さな恩返し。その努力だけは忘れたくありません。ささやかだけど、きっとみんな喜んでくれるはず。それが今ぼくができるみんなへの恩返しなのです。

さて、どうやってその気持ちをみんなに届けようかな。みなさん、紙飛行機って折ったことありますか。よーし、そんな想いを込めて紙飛行機を大空に飛ばしてみよう。青い空を横切って、ぼくの紙飛行機は風に乗ってどこまでも飛んでいく。大きな海だって越えるかもしれない。「アイムヒア、ぼくはここで元気にやってます」

とにかく、ぼくはみんなに「元気です」ってことを伝えたいのです。だから、みんなも元気でいて欲しい。「アイムヒア!!」

11

昨日、鞄《かばん》や財布をデザインしている女性とハナシをする機会があり、痛く心を揺り動かされました。

今、世の中で一大ブームでもあるブランドにて多くのヒットアイテムをその手で生みだしてきた彼女は、ゆっくり丁寧にハナシを聞かせてくれました。

自分が創る鞄や財布というものは日常的であるからこそ、できるだけシンプルで機能的でありたい。そして、他と「ちょっと違う」何かが自分らしさとして加われば、それだけでとってもうれしいのです、と目を細めて彼女は云いました。彼女が手がけた鞄や財布は一見タフな機能美に溢れているが、見えないところに彼女ならではの「ちょっとした違い」が隠し味のように存在するのです。

ぼくは彼女から自分らしさの伝え方を教わったような気がしました。できるだけ自然のまま。自分らしさは表に出すのではなく、そっと内側に置いておくこと。誰も気づかないかもしれないけど、それが誰にも真似のできない自分自身の伝え方なのだと。これはすべてに云えることだと思いました。

そして何よりも心に残ったのは、とびきりに美しい彼女の手でした。今でもその美しい指先はぼくの頭から離れないのです。ドキドキしました。

12

人が少ないカフェでぼんやりしていたら、隣に親子がやってきました。開襟シャツを着た五歳くらいの男の子はアップルジュースをオーダーし、そのお母さんはエスプレッソを。

そこで聞こえた会話。「いつまでもストローを使わないの！」「わかってるよ、ぼくはもう赤ちゃんじゃないよ」グラスと一緒に来たストローを指で遊んでいた男の子はこう云いました。で、彼は大人っぽくグラスに口をやり、のどを鳴らしてアップルジュースを飲み干しました。その光景にぼくはフランスの知人から聞いたハナシを思い出しました。まずストローは赤ちゃんの道具であるため、大人になればなるほどストローで飲み物をいただくことは恥ずかしいということ。知人の家では子供に早いうちからストローを使わせないようにするらしい。なるほど、大の大人がチューとソフトドリンクを飲むのは稚拙なポーズなのです。確かにグラスに直接口をつけて飲む仕草の方が大人っぽくセクシーです。ふんふん、日本だと行儀が悪いと叱られそうだけど、さすがフランス人はスタイリッシュ。いくらスーツをパリっと着こなしても、口をすぼめてストローをくわえた姿は確かにカッコワルイ。

ダンディズムっていうのは難しいですね。

13

性愛。それはあなたから感じる生命の流れ、あなたの動いている自己そのもの。おおらかでありたい欲望。

『チャタレイ夫人の恋人』『智恵子抄』『北回帰線』。十代の頃、どれもドキドキしながら貪《むさぼ》るように読んだ性愛小説や詩篇です。そこには人間本来の健康的な姿があり、タブーとされるセックスの暗いかげりはありませんでした。それはあくまでも純潔なる性の歓び。少年だったそのとき、ぼくの心に未来の美しさという爪が強く刺さったのでした。

ぼくらの生活の中でもっとも日常的な美しさ、そのひとつが性愛なのです。たとえば「嘘でもいいからやさしい言葉が聞きたい」。なんて美しい言葉なのでしょうか。性愛はそんな目に見えない、ふとしたところにあるのです。性愛、それは閉ざさずに爽やかで心地良い歓びとして、ぼくは大切にしたいと思っています。

風は彼女の胸にくちづけし、水にゆらめくシャツを、花びらのようにひらめかす。夏の夜、その細かい神経の動き。あなたの息づかいがぼくを魅了するのです。

みなさんは性愛という言葉から何を感じますか。これでもかと言葉が出てくるぼくはやはりエッチなのでしょうか。

14

当たり前ですが、夜というのは静かですね。その静かさを強く感じるには理由があります。まず、昼間どんなに耳を利かせても聞こえない音が夜には聞こえてきます。夜をそよぐ風の音はもちろん、夜という粒子が踊る音、何かの足音、何かのささやき、そんな静寂という音々が透明さを持って聞こえてくると、なるほど夜とは静かなものだ、と思うのです。では、その夜は一体何時からなのか。思うにやはり丑《うし》三つ時でしょうか。この時間は闇の生き物が目を覚ます時。世界が最も静かになり、グンと真っ暗になる時です。ぼくは毎日その時間に本を読み、手紙を書き、好きなだけ思いに耽るのです。本からはいろんな言葉や音が聞こえ、手紙を書けば、誰かの笑顔がその声と一緒に聞こえてきます。そして、思いはどんな音でも正確に耳元に届けてくれるのです。

ぼくは小さな頃、こんな夜が怖くて仕方ありませんでした。しかし、今では不思議と心待ちするくらいです。特に夏の夜は大好きです。夏の夜空。紺青の空に気持ちをやれば、自分の中に潜むネイティブな感覚が取り戻せる気がするからです。そして朝を迎え今日が終わります。ぼくの夏の一日は長いのです。

その十七歳の少年は、学校にも行かず、誰とも口をきかず、毎日ギターを弾くこと以外は、ほとんど車を磨いていた。

ある日、彼より二つ年下の少年が勇気を出して声をかけた。「ギターでわからないことがあるんだ、やっていることを教えてくれないか」彼は小さく笑って引き受けた。その十七歳の少年は、のちにギタリストとして名声を得たクラレンス・ホワイト。声をかけた少年は『パリ、テキサス』で有名なライ・クーダー。運命的な出会いである。そのとき、ライ・クーダーはクラレンス・ホワイトの演奏を見て、「たとえ自分が残りの人生をすべて注ぎ込んでも、あれだけの技は達成できない。だから、違うやり方を見つけなくてはならないと思った」と云う。その後、ライ・クーダーは最も自分らしいやり方を生みだし、世界を代表するギタリストの道を歩んでいくのだ。

「わからないことは勇気を持って、わかる人に教えてくれと云えばいいのさ。人から学ぶということは、自分にできないことを発見したり、これなら上手くできると発見できるかもしれない素晴らしいことなんだ」

そんなライ・クーダーは今でもサンタモニカでギターを弾いている。

16

「毎日一人ずつ新しい人と知り合う。そうすれば、一年で三百六十五人」

かけだしの頃、ぼくは本気でそう思って毎日を過ごしていました。誰かと一緒にいる、もしくは、会うこと。当時のぼくにとっては、それが何よりも一番うれしくて充実していたことだったのです。何をしたらいいかわからなかったから、余計、そんな小さな目的が毎日に必要だったのです。

「出かけるね」「なんで?」「誰かに会ってくる」「誰?」「誰か」「ばかみたい」当時、付き合っていた彼女との会話は毎日がこんな感じでした。

とにかくその頃は、毎日が無謀の連続。よくぞ身体がもったとも思います。思いついたことは全部やろう。成功が見えなくてもやらなきゃ気がすまない。ヒマはたっぷりとあったから、「考えたり悩んだりするより、なんでも自分の目で見て、耳で聴いて、身体で感じたい。雑誌や本、または人から教えてもらって満足しないで、自分からそれにさわっていこう。とにかく、そこに今日の出会いがある。そこだけに本当のことがある」

「　」の部分は、当時のぼくの日記の言葉。いやなもの見つけてしまいました。アオくさいなあ。

17

「旅」を共有できる友人というのは数少ないものです。そんな一人であるTは先日、イタリアのシチリア島から戻ってきて、ぼくにこう云いました。「もう旅ができなくなりました……」長年、東ヨーロッパ各国のダークサイドを這《は》うように歩き廻ってきた彼からすると、それは意外な言葉でした。そして、「やっぱり、どこかに帰ることを考えちゃうんです」と、笑って云いました。

ぼくの旅は二十代を過ぎて終わりました。十代の頃のように「いつ帰ろう」ではなく「次はどこに行こうか」。行き着く場所を探し求めるように移動しながら生活を立てる生き方。楽しむためではなく生きるための手段であった行為、それがぼくにとっての「旅」でした。どこまでもどこまでも歩いて探した自分の居場所、自分のできることを見つけた場所。「旅」の終着。ぼくにとって、そこは日本でした。

遠い国の真っ暗な土地で一人、ポケットに残った最後の小銭がなくなったときのあの焦燥とした快感は忘れられません。そこから立ち上がっていく自分自身の中に本当の「旅」があった。懐かしいあの頃。

「そっか、よかったね」(笑)

Tは今年で二十四歳になります。また一人の「旅」が終わりました。

18

ひょろっとしていながらも、しっかりと芯《しん》がある。それでいて、しなるような柔軟さを備え持つポプラの木。森の中で出会う三十メートル級のポプラはさすがに立派で、まっすぐに見上げると、ワッと圧倒されて後ろにひっくり返りそうになります。その強くまっすぐな姿が見ていて気持ち良く、キラキラした木漏れ日に目を細めながら、ぼくはそんなポプラを見上げるのが大好きです。

で、そのポプラは根元を切ると、カタチが様々らしく、風が強い所に立つポプラは断面が三角。風が少ないと丸く、その中間だと四角なのです。ふむふむ。風で木が傾くと、根が切れます。切れたあとにはさかんに新しい根が生えるので、春は南、秋は西、冬は北にと、ポプラは力強い根を張り、吹く風が強ければ強いほど、安定した立木に生長していくのです。

なんだか、人と同じようですね。つらいとき、頑張りすぎると倒れてしまいます。ポプラはそんなとき、根を切るのです。ひとつ根が切れても倒れなければ、そこにもっと強い根が生えることを知っているからです。そうして、上へ上へまっすぐに伸びていくのです。

さて、ぼくの根元は三角かな丸かな四角かな。

19

そこはジュースバーと本屋とコーヒーハウスが合体した店。ジュースバーとカフェは朝七時から営業。ぼくはいつも朝一番でジュースバーに行く。セロリとリンゴ、ニンジン、自分の好みを告げると、その場で新鮮なものをトントンと切り刻み、ジューサーで絞ってくれる。待っている間に店先のスタンドで新聞を買う。友人が寝巻きでやってきた。「おはよう」と笑顔で声をかける。

昼間、仕事の合間にブラッと寄る。奥の本屋にアメリカからの入荷があったと聞いていたので気になっていたのだ。店主がその仕分けに汗をかいている。二、三冊手にとり、ポケットの小銭で勘定を払う。帰りにコーヒーを買っていく。若い夫婦が昼からワインを味わっていた。

今夜は、そこでアコースティックギターのミニライブがあるので仕事が途中だけど顔を出す。ライブといってもはじっこで気ままに弾いているだけ。客は思い思いにおしゃべりしたり、コーヒーを飲んだり。ぼくはエスプレッソをグイと飲んでギターを聴く。一人でいても居心地がいい。昔からあったような懐かしさと、いつも流れている新しい風が心地良く、知りたい情報と味わいたいものが揃っている。これが今ぼくの空想する理想の店だ。

20

先日、サンフランシスコの友人から押し花が束になって届きました。見るとデイジーやマーガレットといった彼女の家の裏庭で摘まれたワイルドフラワーばかりです。

毎年、夏の終わりになると出来上がる押し花を、彼女がぼくに送ってくれるようになって二年が経ちました。時間をかけて、一枚いちまい丁寧に作られたそれは、ぼくにとって何よりも早く秋風を感じさせる風物です。彼女の日常から生まれた小さな贈り物。それは、ぼくの日常にポツンと落とされるとびきりのエッセンス。

彼女はバークレーの公園で開催されたフレッシュマーケットにて、小さなワゴンにハーブの苗と手作りのチーズをのせて一人で売っていました。ぼくがカッテージチーズをカップで買ったとき、彼女は小さな紙きれをくれました。見るとそれは古本屋のチラシでした。「父は本屋なの」そのあと、ぼくがその店に行ったのは云うまでもありません。そんな出会いで仲良くなった彼女です。「毎年、送ってあげる」二年も会っていないのに約束通り彼女はぼくに押し花を送ってくれます。

ほんの小さな約束こそ守り続けたいな。秋になると思うのです。

21

シャーリー・マクレーンの『カミーノ』を読んでいる。キリスト教三大巡礼路のひとつであるザ・カミーノとはスペイン北部・聖地サンチャゴへ至る八百キロの道程のこと。以前、この巡礼の旅はテレビ番組で見たことがあり、すぐにその景色はまぶたに浮かんだ。この一冊は、そのサンチャゴに六十歳を過ぎたシャーリー・マクレーンが運命の糸に導かれるように旅立つハナシである。読み終えたら、ぜひ感想を述べたいと思うが、途中で、なるほど、ふむふむ、と思う所があり誰かに聞かせたくてペンをとった。

その旅は歩くこと以外の何物でもない過酷な道程だけあって、要所で巡礼者を手厚く介護するボランティアがいる。で、その中に足をマッサージする男がいる。彼らのマッサージは足の疲れをとるだけでなく、その地を歩き続けることで足に宿った大地の魂《ソウル》を身体中に循環させることが目的らしい。大地の魂《ソウル》は足の裏から身体に入ってくる。なので、足の裏のことを「ソウル」と呼ぶ。ストーリーが長くゆっくりとしてきたときこそ、このようなエピソードは嘘でもうれしい。もう少し読もうと引っ張られる。正直云おう。あまりに文章が退屈で、今、放り投げようと思ってたのだ。ごめん、シャーリー。

22

昨日、机を作りました。最初に寸法を決めて、新聞広告の裏に設計図を描きました。材料屋で木材をその通りに切ってもらい、ふうふう言いながら家に持ち帰りました。

机を作ろうと思ったのは、二日あった連休で何かを作りたかったのです。あまり意味はありませんが、物を書いたり、仕事をしたりする机を自分で作ってやるか。そんな風に思ったのです。いわゆるデスクより、ヨーロッパの小学校にあるような質素な作業机みたいで、ほっぺたをつけて居眠りしたら気持ち良さそうな机が欲しかったのです。一日目で材料をすべて揃えました。わくわくしながら迎えた二日目は早朝から作業を始めました。ぼくはとっても無精でいい加減だから、組み立てながら、どんどんそのカタチや寸法が設計図より変わっていきます。寸法や組み立て方に間違いがあるからです。夕焼けが青い夜空に変わった頃、ぼくの机は完成しました。ちょっと歪《ゆが》んだがルックスはいいぞ。サイズもいい。自分の作った机で仕事をするって、いいハナシじゃないか。うれしくて、ついニヤついてしまうなあ。しかし、次の日、ぼくの机は娘の台所に変身していました。ぼくは笑いが止まりませんでした。

23

今頃、彼女はどこで何をしているのだろうか。彼女はタフだから大丈夫と思うけど、あの日から心配で仕方がありません。トゥディショップのハナシをしたら「机ひとつで恋愛相談所をやりたいなあ。ベストなアドバイスを真剣に考えるからさ。やろうよ」。今回のウインドウディスプレイにも参加したがっていた彼女ですが、自分の心の故郷である、ニューヨークでのバカンスとスケジュールが重なってしまって実現できませんでした。「チャイナタウンの近くにさあ、いいアパート借りたんだよね。ニューヨークに行くときは言ってね。カギを渡すから（笑）」何か本を探してきてよ、と言ったら「オーケー、まかしてよ」と電話口で話したのが最後でした。チャイナタウンのキャナルストリートって、あの場所から歩いて数分のエリアじゃないか。彼女のことだからボランティアに参加しているに違いない。そう思うことにしています。

まったく信じられないことが起きました。そして、アメリカの断固たる報復宣言に失望しました。日本政府のそれを支持する声明にも息を飲みました。彼らは戦争の辛さを忘れたのでしょうか。ぼくの中で未来という光が消えそうです。

一週間たって、まだ彼女の安否はわからない。悲しすぎる。

24

昨年、友人が今一番面白いとすすめてくれたアメリカのインテリア雑誌『nest』がやっぱり今も面白い。ちょっと前に話題になった『Wallpaper』や、それに似た多くの雑誌は、モダンファニチャーやデザインプロダクトをファッションの視点でコーディネートしたビジュアルが売りですが、そこには何ひとつ人間の手のあたたかさが感じられず、どうして、このような雑誌に人気が集まるのかわかりませんでした。で、そんな『nest』が見せるインテリアやファニチャー、そして、デザインにはライフがある。生ある空間、人間の息、ナチュラルな線、うまく説明できませんが、そこにはスタイリストが作り上げた風景ではなく、われわれ人間が生きているそのままの空間がリアルに存在しています。コレクションという言葉はどこにもありません。『nest』は、インテリアとはモノを置いたり、飾ることだけではないと教えてくれるのです。必要なのは、まず、そこでどのように自分が暮らすかを知ることです。あれは何でこれは何という固有名詞で囲まれる生活はアウト。ぼくは思う。気持ちいい風が通り抜ける。ひなたがうれしい。狭いけど余白は広い。それ以外、何もいらないんだな。壁には自分で描いた絵でも飾ればいいのです。

25

久しぶりに、うどんでも食べようと友人と会いました。約束の店に行くと、先に着いていた友人はぼくに「はい、これ」と大きな包みを手渡してニコニコ顔。それは二カ月前に注文していた彼が作ったマウンテンブーツでした。

ぼくらは、美味しいうどんを食べながら互いに近況を話しました。根っこがつながっているから、しばらく会わなくても言葉はなんでも通じます。それがうれしくてぼくも友人もハナシが尽きません。ぼくは、この秋からの自分のテーマ、「フォークロア」のことを話しました。お金で手に入れたり、誰かを頼るのではなく、自分でできること、作れること、楽しめることは、この手で生みだそう。それを考えよう。必要なものは探すのではなく、できるだけ生みだす。これがぼくの思う「フォークロア」です。すると、友人は言いました。「ぼくのテーマは『森に行こう』なんだ」キャンプに行こう、ではなく、森に行こう。森にある自然は誰にでも平等。たき火の炎を見つめて、もう一度いろんなことを考えよう。楽しむこと、仕事のこと、生命のこと、友人のこと、自分のこと、自然のこと……。森で考えて、森で楽しんでみよう。そして、いろんなものを見つめよう。「森に行くと答えが見つかるんだ」友人は笑って言いました。

26

大雨の夜、帰宅のため乗った東横線は思ったよりすいていました。隅に立ったぼくは窓を激しく叩く滴を見つめて今日の疲れを実感するのです。ふと目の前を見ると、座った女の子が文庫本を読んでいました。目を点にして夢中になって読むその姿が微笑ましくて可愛いなあと思っていたら、あれ、何か白いモノが口元に見えました。女の子はもう片方の手で膝の上に置いた袋の中からシュークリームを取り出し、ペロリとつまみ食いを始めたのです。ジーッと読んではペロリ。また読んではペロリ。そして、たまにくちびるを舐める仕草に、ぼくは思わず小さく吹きだしてしまいました。しばらくすると女の子の隣の席が空いたので、知らんぷりしてぼくは腰を下ろしました。何をそんなに夢中で読んでいるのだろう。気になるけれど横をのぞき込むことはできないので、思いだけを巡らせていたら、今度はイチゴのいい香りが漂ってきました。シュークリームの次はショートケーキです。周りを気にせず夢中になって本を読み、シュークリームやショートケーキをペロリペロリとつまみ食い。最高だろうな。ある駅で彼女は走って降り去ったのですが、その後、ぼくは彼女に恋をしたようなうれしい気分でした。今日の疲れた身体に甘い香りはしみたのです。

27

同じカメラを三台買ったことがあります。正確にいうと同じカメラを三回買って売ったということです。どういうことかというと、そのカメラは「ライカCL」という、ドイツのライカ社と日本のミノルタ社が七〇年代に共同開発した軽量コンパクトなボディに素晴らしい描写力を持つライカズミクロン40ミリレンズが標準装備された名機です。最初に買ったのは十五年前、ニューヨークの『ウォールストリートカメラ』という店で新品同様を九百ドルにて。それからはしばらくスナップを撮るのに愛用し、後に28ミリの広角レンズに換えて街中をぶら下げて歩いてはパチリとやっていました。その頃の旅先で撮った写真はぼくの宝物です。しかしながら、モノ離れが良い性格なのか、その無計画さがそうさせたのか、お金がなくなるたびに手放していくのです。そして、お金ができるとまた買うのです。それを今まで三回も繰り返しているということです。もちろん、買った値段で売れるはずはないので、損をしているのですが、売るときはそれより入り用なお金が問題なのであまり考えないようにしています。で、近々、また買おうとしている自分が可笑しいです。なんと四回目です。そのくらい、ぼくはこのカメラが好きなのです。

28

「六〇年代、サンフランシスコのシティライツという一軒の本屋に、何かを胸に秘めた若い人たちが集まって文学や芸術をストリートに持ち出し、ビートニクという新しいムーブメントを起こした。ぼくはそれに憧れて店を始めたんです」人気のカフェやレストランを数々経営する知人はうれしそうにこう言いました。何か事を起こすには必ずや人それぞれにきっかけがあります。社会に対して自分が役立てることはなんだろう。彼にとっての夢はきっとそれ。「ぼくが本屋をやるにあたって考えたのは、とにかく街の灯《ともしび》になりたかった。仕事や学校の帰りに寄り道したくなるような灯がついた店にしたかった」彼は笑って言いました。「街の灯、まさにシティライツだね。ぼくも同じ。三宿にカフェを作ったとき、朝の四時まで営業したのは、こんな御時世だからこそ、若い人にとっての街の灯でありたかったからなんだ」二人は職種も規模も違うけれど、思い立ったきっかけや姿勢に違いはありません。誰かが作ってくれるのを待つのではなく、とにかく、社会に背を向けずにぼくらなりに街の灯をこれからも作り続けていくこと。ぼくは彼と手を握って別れ、夜空に浮かんだきれいな月を背中に灯に向かって歩いていくのです。

29

ぼくは二トントラックに古本を積んで東京や大阪や名古屋に移動しながら本を売り歩く商売をしています。一見、酔狂な仕事に見えるらしく、よく聞かれることが「これで食べていけるんですか」というご質問。「知りたいですか」と聞くと「はい、やっぱり気になります。これで食べていけるんだったら、ぼくもやろうと思って」とのこと。そんなとき、いつもぼくはこう答えます。「はい。親子三人食べていけます。明日はわかりませんが」そう答えるとわかったようなわからないような顔をされるのが常です。食べていけるか、食べていけないのか。その判断だけで人生の選択が動くことをぼくは理解できません。これぞと思ったら、どんなことをしてでも、これで食べていくんだという決心でしかないのです。そう思えば、いわずと努力もするし、気持ちも入るし、必死になって、なまけることなんかもできないはずです。だから、何かをやろうってとき、これで食べていけるかどうかはまったく関係ないのです。だって、それは単に事例であったり憶測や分析にすぎない。誰もやったことがないことをやるのであれば、なおさらです。失敗は当たり前。でもそこからがスタートなのです。やればできるって法則は本当です。あとは勇気です。

30

ニューヨークのソーホーにある『ZONA』というフォークカントリー雑貨を売る店で買ったネックレスがある。ネックレスといってもグリーンのスエードレザーの紐にシルバーのペンダントがついたもの。あっという間にモノをなくしたり、欲しいという人がいたら、すぐにあげてしまう性格ゆえにいまだ持っていることに感動すら憶える。意外に気に入ってるのだ。少なくとも買ったときはそうだ。百五十ドルもしたから忘れはしない。こんな高いモノを自分のために買うことが恥ずかしくて「彼女へのおみやげ」と聞かれてもいないのに店員に言ったことさえ憶えている。作家モノだと思うがペンダントがイカしてる。「GO FISH」というアメリカに古くから伝わるカードゲームがモチーフになっていて、六枚のシルバー製のカードがぶら下がっている。その一枚いちまいには魚が一匹から六匹まで彫られている。要は革紐に六枚の小さなシルバーのカードがぶら下がっているってこと。きっとこの作家は余程「GO FISH」が好きだったんだろうな。その後、知り合った『ZONA』の店主と会うとき、それを首にぶら下げていったら大層喜ばれた。昨晩、「GO FISH」を友人と楽しんでいてふと思い出したことでした。

31

休日に娘と近所の公園に行きました。大きな木がいくつも立つその公園に着くと、娘が「あ、ドングリだあ」と、地面に転がるドングリを拾い始めました。見ると見渡す限りドングリが落ちていて、見ているそばからポトンポトンと木の上からドングリが降っています。「拾おうか」「うん」ぼくらは砂場で遊ぶために持ってきたバケツをそれぞれ持ってドングリを拾い始めました。「あ、ぼうしー」「本当だあ」拾い上げるドングリは一つひとつ違った色、違ったカタチをしていて「ほら、こんなの」「こっちはこんなの」と二人して夢中で拾いました。あっという間にバケツはドングリでいっぱいになってしまいました。それだけでも千個くらいはあるでしょう。「じゃあさ、土に埋めようよ」「うん、そうしよう」二人で地面に穴を掘ってそこにじゃあとドングリを入れました。「全部、拾おうか」「うん」ぼくらは拾っては穴に入れるを何回も何回も繰り返しました。気がついたら三時間も過ぎていました。「全部、拾えないね」「うん」あきらめたぼくらは手を洗って家路につきました。その日、ぼくと娘はドングリのことが全部わかったようでうれしくて仕方がありませんでした。何かを知るってこういうことなのですね。

32

身辺が忙しいほど、家路から気持ちは遠のき、なぜか寄り道したくなります。疲れているほど誰を誘うことなく一人どこかに行きたくなるものなのです。きっとこのワサワサした気持ちをどこかに落としたいのでしょう。なので、今日は仕事場近くのカフェでコーヒーを一杯です。

そこには、可愛くて、きれいな女の子が数人働いていて、いつも元気良く、いつも感じ良く、とてもうれしいのです。それは正直な気持ちです。で、そうやって働いている姿を見ていると、いや、じっとは見ないけれど、なにげなく見ると、ああ、ぼくも頑張ろう、なんて単純に思ってしまうのです。男子ならみんなそうなんじゃないかな。そして、特別な一言、たとえば「いつも、ありがとうございます」なんて言われれば、実はとびきりにうれしかったりするのです。それで何かがポトンと落ちるのです。カフェやレストランで働く仕事は素晴らしいなあと思います。お客は知らんぷりしてるけど、きっとぼくみたいな気分で訪れている人は少なくないはず。沢山の人の寄り道を作ってくれているのです。時間がなくたって、ああ、あそこでお茶していこう。笑顔に会いにいこう。言葉にはしないけど、「いつもありがとう」って思っています。ほんとです。

33

「ギター最近どうですか」って、最近誰も聞いてくれないから、自分から話します。あのですね、いいですよ、かなり。曲にはまだ手をつけてませんが、思い通りの音は出せるようにはなりました。そして、いくつかの気に入ったフレーズを憶えたので、それを延々と弾き続ける気持ち良さも知るようになりました。なので、目指せ食卓ギタリストです。フレーズならうるさくないし、耳障りも悪くないし、呑気《のんき》でいい。みんなで美味しい御飯を食べながら、たまにギターをポロンポロンと鳴らすのがいい感じです。食卓に呼んでくれればギター持って行きます。そんな気分のこの頃です。ギターを始めて半年経ちました。半年間、馬鹿馬鹿しいほどさわっていてこの程度の上達です。バレーコードを乗り越えたくらいといえば、わかる人にはわかるでしょう。うん。

「テレビを見ながらとか、ギターをいつも触ってるといいよ」葉山に暮らす作家の永井宏さんがこう言ってくれました。まさにそう。もう挫折はないと思います。あとは飽きないようにかな。でも、ぼくにとって飽きるって言葉はないんだなあ。なんだかうれしいなあ。ほんとにギターと出会えてうれしいなあ。

ギター・ブレス・ユー。

34

ここ最近、仕事から人間関係、または身の回りまで、自分にとってほんとに必要なもの以外を整理することを考えるようになりました。すると、それまで見えてそうで見えてなかった、自分が大切にしたいものがくっきりと見えてきました。これからの未来、自分はどんな方法で、どのように生きていくのか。ぼくはそれをきちんと知っておきたかったのです。がむしゃらになんでもかんでもを生きる手段に利用して、たまりたまった残飯を食べながら生きるのはもう止そうと思うのです。できるだけ簡素に。できるだけ自分らしく。できるだけ正直に。できるだけ小さく。

息を吸って吐くこと。もちろん、それだけでは生きていけませんが、あと何が必要なのでしょうか。あといくつ、自分にとっての生きる方法が必要なのでしょう。豊かな生活は望めばきりがありません。ぼくは豊かより幸せに生きたいです。自分が思う幸せはなんだろう。豊かさはお金で買えるけど、幸せは買えません。ならば、ぼくは幸せを手にする生き方を選びたい。そう思って、どんどんといらないものを捨てるもんだから、どんどんとぼくは困ってしまいました。当たり前です。今までいらないもので生きていたんだから。でも、そこからやり始めようと思うのです。

冬真っ盛り、というのも変ですが、多分今頃は何もかも冬存分な気分です。ふと思ったのですが、ぼくは恋を誰から教えてもらったのかなあ、ということ。みなさんはどうですか。いつの間にか年頃になって、異性に興味を持って、誰かを好きになって、恋をして、知らなかった喜びを沢山知るようになって、新しい自分を発見したり、そこから人生が始まったりと、そうしてあれやこれやと大人になるから、はて、恋は誰に教わったのかなと今頃考えてしまうのです。まあ、それはきっと人それぞれ誰かなのでしょう。で、思うのです。ある歳になるとセックスについては、親や学校から教わります。どうしたら子供ができるのかと。でもさ、その前に恋をするってのは教えないじゃない。ぼくは恋をするってことがどういうことなのか。それがどれだけ大切なことなのか。良いことなのか。ということは子供に教えるべきだなあと考えるのです。せめて、誰かを好きになるってことは良いことなんだ。と知っているだけでずいぶん違うと思うのです。自分の娘が恋をして「わたしはいけないことをしているかも」と思ってもらいたくないです。願わくば、自分らしい恋を大切にする人になってもらいたいな。恋をするってとっても素敵な気分ですから。

36

日曜の朝、新聞を読んでいたら、カヌー乗りの有名冒険家が「旅先で食べ物が無いのは耐えられるが、本が無いのは耐えられない」と語っていた記事に目がとまりました。うーむ、す、すごい言葉だなあと感心しました。では、読書好きなぼくはどうだろうか。どう考えても無理ムリ。ぼくは空腹が過ぎると本なんか読む気になれません。しかばねのように、ただ寝ているだけで、何もできなくなるのです。経験あるもんな。だから、空腹になっても本が読める術を知っているこの冒険家は多分お化けだな。

考えてみたら、自分の生活が充分に満たされているときって、あまり本を読まないかも。だって、他に楽しいことや大切なことがあって、読書どころでないように思えます。なんだか気分が落ち込んだり、さえなかったり、何かに悩んでいたり、何かを探していたりと、ピンと自分の背筋が伸びてないときは、あれこれと読む本を探すように思えます。だから、本を読んでないときって、結構、ハッピーってことですね。ならば、今、ぼくはどうなのかな。「二、三冊、同時に読んでいます」ガーン。でも、当たっているかもな。日常すぎてわからないや。これ人生。

37

ぼくは十九歳の頃が一番生意気だったと思います。人の言うことなんて、まったく聞きもしませんでした。自分の殻に閉じこもり、どんなことにも反抗的でした。しかし、どういうわけか、人には恵まれていて、特に年上の方々に可愛がられました。その頃、一緒に連れ回して遊んでくれた方々には、今、ほんとに感謝しています。というのは、何も知らない生意気なだけのぼくに、礼儀作法から食事のマナー、遊び方、折々の行事、旅の仕方、音楽、読書、映画、美術などなどを理屈で教えるというより、自分の目で見る、また経験する、楽しむという風に実地で味わわせてくれたからです。当時を思い出すと、各界で活躍していた方々ばかりで、よくもこんな若造の相手をしてくれたものです。学校にも行かず、アメリカ帰りのぼくに、学ぶことの楽しさ、学んだことを人生において楽しむということを存分に教えてくれたのでした。この感謝の気持ちは言葉では言い表わせません。今、その方々にはなかなかお会いする機会がなくなってしまいましたが、ぼくのできることは与えてもらった沢山のことを、独り占めするのでなく、できるだけ多くの人に伝えていくことかなと思っています。文字や言葉、仕事などで……。

38

平岩弓枝さんが一九七三年から書き続けている時代小説『御宿かわせみ』を知ったのは最近のことです。何を今さらと愛読してきた方はお思いでしょうが、最近、ぼくが何よりも夢中になって読み耽っているのが、この『御宿かわせみ』なのです。

内容は、幕末の江戸にある「かわせみ」という、今で言う小さなホテルのようでカフェのような、人の出入りがにぎやかな宿を舞台に繰り広げられる様々な事件や、ちょっといいハナシが短編になって編まれた一冊です。すでに二十六巻も刊行されているので、それはそれは読みごたえたっぷりです。で、ぼくを夢中にしているその理由は、時代小説というと捕り物帖的な悪者と正義のあーだこーだが一般的ですが、『御宿かわせみ』は、どちらかというと恋愛小説な風合いもあり、四季折々の豊かな情景を背景に、いいハナシだなあ、とホロリとなる人情味溢れるストーリーが多いからです。いまバッグに入っているのは『初春弁才船』。江戸のお正月の人間模様や、しきたり、行事などがとっても楽しく知りえる一冊です。しかしながら、こんなに長期にわたって書き続けている平岩弓枝さんにぼくは感動します。そんな『御宿かわせみ』への初恋のような思いです。

39

ある雑誌の取材にて「あなたにとってのカフェとは」と、突然、聞かれて、うーん、たとえば、夜中に夫婦げんかをして家を飛びだして行き着く先かな。なんて思いつくまま答えてしまいました。どこも行くあてもなく、一人さびしく街をさまよい歩き、寒いからそろそろ帰ろうかなあ、コーヒーでも一杯飲んで帰ろうかなあ。帰ったらゴメンってあやまろうかなあ。と、明かりのついたカフェのドアを開ける。すると、いつもの店員さんがいつもの笑顔であいさつをくれて、いつもと変わらないコーヒーが出てくる。正直、夫婦げんかなんてそうしないけれど、もしあったら、と考えるとき、やっぱりカフェはあってほしい。あそこにカフェがあるってことだけで安心です。カフェと考えて、他にもいろいろ思うことはあるけれど、これもひとつ。まあ、フラリがコンビニではなくカフェってことですね。また、十代の頃、人がわんさといる雑踏が心地良いと思ったことがありました。道端で何をするわけもなく、立ちつくして通りゆく人をただ眺める。それで自分の中の何かが誤魔化せたのかもしれません。そんなあの頃の気持ちを思い出すのもカフェだったりします。

40

久しぶりに友人とゆっくりハナシをしました。そして、ひょんなことから夢のハナシになり、互いに夢を話しあったのです。夢といっても寝ているときの夢ではなく、胸に抱く夢のことです。

ぼくはこう云いました。「ぼくの夢は昔から同じなんだけど、宇宙に行って、自分たちの暮らす地球を遠くから見てみたい。地球がどのくらい青くて、どのくらいの大きさなのか、それをこの目で見てみたい」それを聞いた友人は、「そろそろ実現する時代がやってきますよ。宇宙に行けますよ。いやあ楽しみですね」と、笑顔で云ってくれました。で、その友人の夢を聞いてみると、彼はこう云いました。「ぼくは子供が欲しい」その友人にはとっても素敵な奥さんがいます。そして「ぼくの夢は叶いそうもないなあ」とつぶやきました。そのとき、一人娘がいるぼくはなんて答えたらいいかわかりませんでした。「宇宙に行く」なんて、科学が発達すれば叶えられる夢であるけれど、「子供をつくる」ってことはそう叶えられることではない。考えてみたら「子供をつくる」ことは「宇宙に行く」より難しいのですね。そう考えたら娘がいるぼくは「宇宙に行く」なんてどうでもよくなってしまいました。うん、子供って夢です。

41

年明け早々に出かけたフランスへの旅は、飛行機で片道十二時間と聞いただけで出かける前から憂うつで仕方がないものでした。飛行機嫌いのぼくはいつもそうなのです。そして当日、暗い顔つきでチェックインを待っていると、なんだかとってもいい匂いがするなあと思いました。で、見回すと、それはぼくの前に並んだ女性の香りでした。そのほのかなユーカリの香りはとてもリラックスさせてくれるもので、ぼくは、もしも、この人が隣の席ならいいなあ、と、ふしだらに祈ったのです。で、機内に乗り込み、チケットを片手に席を探すと、なんと驚くことにぼくの席にその素敵な女性が座っていました。席を間違えていることについてなど、なぜかそのときはいいやと思い、ぼくは空いている隣に座りました。実はそのときのうれしさといったら小躍りしたいくらいでした。この長い時間が救われる。ほんとにそう思ったのです。そして、途中で席を間違えたことに気がついたその女性は申し訳なくあやまってきましたが、それがきっかけで、パリに着くまで楽しくおしゃべりすることができました。ぼくは飛行機での苦痛でしかなかった時間が、あっという間と感じ、おまけに短すぎると初めて思ったのです。

42

つい先日、知った言葉に「草むらの学校に行く」というフランスのことわざがあります。さて、その爽やかな言葉にどんな意味があるのでしょう。この言葉には、耳にするだけで、なんだか気持ち良さそうな情景が目に浮かぶちからがあります。

「草むらの学校に行く」。それは「抜けがけ遊びをする」という意味だそうです。抜けがけって秘密めいていて、とびきりにわくわくするような気分です。一人特別に楽しみを味わう。そんな感じでしょう。その場所はどこ？　草むらの学校だよ。いい言葉ですね。一人で冒険に出かけるようでもあります。そう思って、最近、自分は草むらの学校に行ったかな。そんな風に考えました。みなさんは最近、草むらの学校に行きましたか？　恋の抜けがけってのもありますね。「二人で行った草むらの学校」。書いていて恥ずかしいけれど、きっとどこかで、これもありなのでしょう。うん、きっとあると思う。では、ぼくにとっての草むらの学校といえばなんだろう。思いつくのは一人で出かける知らない土地への旅行です。その旅の時間は、かなり秘密めいていて、まさに抜けがけ。話せば面白いけど話せないもんな。抜けがけってそんなものなのです。秘密だからいいのです。

いわっちょ。あいぼう。やまちゃん。とっさん。たぬき。あらちょ。まーぼう。でっぱ。こうちゃん。うーさん。がくさん。らっきょ。とーる。まこりん。がーりっく。やっくん。おにく。えぐっつあん。いでちん。のーげ。かいちょう。まんぱい。ぶんた。でかちん。なす。おっさん。やまけん。ゆーじ。じーさん。とやぴん。やっし。よいち。みちくそ。さる。

　ここに並べた名前はすべてぼくが小学、中学生の頃、仲の良かった友人のあだ名、それもその一部です。こうして並べて、眺めてみるとけっこう凄《すさ》まじいあだ名もあり、子供というのは愛情深いけれど反面残酷でもあるなあと実感するのです。しかしながら、ほんのこれだけのあだ名を並べるだけで、まるでフェリーニ映画でも彷彿《ほうふつ》させるような迫力がありますね。最近の子供たちにはあだ名がないと聞きます。いや、あだ名を禁止しているとも聞きます。それはきっと、それで傷つく子供がいるということやそれがひとつのいじめでもあるという大人の配慮なのでしょう。でもどうだろう。それもなんだか淋しい気がするのは、ぼくだけでしょうか。子供のつけるあだ名って、ユーモアに溢れ、ストレートで好きだけどなあ。ちなみにぼくのあだ名は「まりも」でした。けっこう笑えます。

44

何年か前、しばらくニューヨークに暮らしていた頃のハナシです。英語もままならず、なかなか友達が作れなかったぼくは日々本屋や図書館ばかりを巡っては時間を費やしていました。誰とも会話をせずに楽しくいられるのはそんなところしかなかったのです。しかし、通う店や場所なんてそう沢山もなく、おのずと同じところばかりに行くことになってしまいます。すると、自分と同じような目的で通ってくる人も他にもいて、そんな彼らと知り合いになってしまうことは仕方がなく、もちろん、本屋の主人や図書館のスタッフとも仲良しになってしまうことも避けられません。一人で楽しもうと思って足を運ぶのに、知り合いができてしまったり、それがいつの間にか友達になってしまったりと、なんともうれしいのかそうでないのかわからなくなってしまいます。笑顔を向けられると笑顔を返さざるをえないこともあるし、淋しいからそれがうれしかったりと。まあ、そうやって一人になれる場所というものは失われていくのです。なので、また違う店、違う場所を探してあっちこっちと歩き廻り、しばらくすると、また他へ。いまだに重宝がられる、ぼくのニューヨークマップはこうして出来上がったのでした。

45

時の流れは早いもので、この『くちぶえサンドイッチ』も四十五号目となりました。残すは七号ということで、どうぞよろしくです。で、もっとよろしくと伝えたいのは「トゥディショップ」と共にお世話になっているサザビーの担当の方々です。最近になってそのカーリーヘアがくせっ毛と聞いてビックリした、マスこと増田さん。打ち合わせにエレキギターを持ってきたときは、さすがにあわてましたよ。で、つい先日、ご結婚された三津間さん。耳元でブルーハワイをウクレレで弾いてくれたことは一生の思い出です。「トゥディショップ」で売られる本をいつも狙《ねら》っていましたね。結局、あの本はどうしたのでしょうか。マイペースでいつもおしゃれな奥脇さん。みんながあなたのことをオックンと呼ぶように、いつかぼくもそう呼んでみたかったです。いつか突然呼んでみますね。そして、この『くちぶえサンドイッチ』をコピーしては、カッターで毎分二百枚の速さで切り離す技を持つ黒木さん。ぼくの原稿をきちんとしたカタチでみなさんにお届けできるのはあなたのおかげです。他にもＩＣＬのスタッフや内部にも声をかけたい人がたくさんいます。この場をお借りして「ありがとう」。そして「これからもよろしく」です。

46

ここ一カ月、ぼくは表参道のカフェレストラン『ロータス』の玄関を借りて本屋を営業しています。なので一日一回は『ロータス』に顔を出し、本の整理や補充をしていますが、行くたびに気持ちがあたたかくなることがあり、それについて書いてみます。感じるのはとにかく働いているスタッフがきびきびしていて、それでいて雑さはまったくなく、自然な笑顔に溢れ、厨房の中で汗をかいて調理をするスタッフでさえ、お客一人ひとりに「こんにちは」と声をかける爽やかなもてなし。これは当たり前のことですが忙しい店ではなかなかできることではありません。いんぎん無礼な笑顔を見せる店に馴れたぼくにはとても新鮮なことです。お茶や食事を楽しんで、それ以上に働くスタッフや店の空気から心地良さを味わえるって凄いです。思うに一人ひとりが「ここは私の店」と心にあるのでしょう。なんて素晴らしい。ぼくにとっては関わりがあるという贔《ひい》屓《き》目がありますが、この仕事場は本当にいつも明るい。きちんとお客の目を見て行われるサービスと心込めたあたたかい言葉。基本ですよね。見習わねば。

47

古い『ヴォーグ』や『ハーパース・バザー』などを仕事柄たくさんお持ちの方と先日知りあう機会があり、その方から「それらの保管をどうしたら一番いいのか」と聞かれました。ぼくも昔の雑誌などは大好きなので、その気持ちはよくわかります。ハードカバーと違って、雑誌は何年も保管することを考えられていないため、古ければ古いほど、自然と傷んでくるからです。で、ぼくはこう答えました。「いつも目に見えるところに置いておくことですね」本というものは不思議なもので、どこか見えないところにしまってしまうと傷んでしまったり、変色してしまうのです。だから、大切であればあるほど、いつもすぐに手にできる場所に置いておくことが一番の保管なのです。そうすれば、必ず常に気にかけるようになるからです。大切だからといって風通しの悪い場所にしまい込むのが一番良くないのです。そう考えたら、なんでもそうですね。人間関係でも仕事でも大切で壊したくないからといって、目につかないところにしまってしまうことで知らぬ間にどうかなってしまうことって多いです。だから、大切なものは、いつも見えるところ、すぐにさわれるところ、風がよく通るところに置いておく。これが保管の秘訣なのです。

48

ぼくはうれしいことがあると、いの一番に家族に伝えたくて、仕事を放って早く帰宅するクセがあります。つい先日、ぼくが出張本屋をしているカフェ『ロータス』に、友人の佐々木美穂さんと一緒に、大橋歩さんが来てくれました。前もって、佐々木さんから「行くかもよ」と聞いていましたが、そのとき、打ち合わせをしていたぼくのテーブルのすぐ後ろのテーブルに、すでにお二方が静かにお茶していたのを見たときは、さすがに、うわあ、とビックリしました。ぼくは大橋歩さんの近著で『くーすけくまくん』という絵本がとても気に入っていて、旅先のマルセイユで出会ったファニーちゃんにプレゼントしたり、もちろん、娘にも読んで聞かせたりとしていたので、不思議と大橋さんには自然と親近感が湧いていて（軽々しくてすみません）、一度お会いしたくて仕方がありませんでした。で、そのときお会いできて、いろいろなハナシをさせていただき大感激。憧れの大橋さんとおしゃべりできたなんてうれしさがこらえ切れず、その日もめちゃ早く帰宅したのは云うまでもありません。で、ぼくは娘にこう云いました。「くーすけくまくんのお母さんに会ったぞ」と。すると娘は「ふーん、わたしもさっき会ったよ」だってさ。子供ってすごいね。

49

仕事を手伝ってくれている荻野くんの実家は宇都宮で、その同郷の友人が東京に遊びにきた際にこうつぶやいたらしい。「東京って煙草くさいね」荻野くんはこの言葉を聞いてショックだったとぼくに告げました。

確かに、東京は煙草くさい街だと思います。ぼくは今、煙草を吸わないので余計そう感じるのでしょう。道を歩きながら煙草を吸う人の多いことは云うまでもなく、その吸い殻をポイと道に捨てる様は、いくらなんでもひどいなあ、といつも思います。気持ち良さそうに一服しながら歩いている人は、その後ろを歩く人に煙がかかっているなんて知ったこっちゃないでしょう。でも、それはとても迷惑なのです。だから、ぼくは嫌ですぐに追い抜いたりします。すると、また前で煙を機関車のように吐きだしている人がいる。で、また、ぼくは追い抜く。これのくり返し。だから、ぼくは人込みは歩きたくないのです。そんなところで歩く人の頭の上を見ると煙が雲のように漂っています。これは世界を見渡しても珍しい風景です。さすがのパリでも見たことありません。ぼくだって昔、煙草を吸っていたからなんとも云えないけど、「東京って煙草くさい街」って、あまりうれしくない言葉です。みんなはどう思いますか。

50

ぼくは毎日、笑ったり、泣いたり、怒ったりと忙しいです。正直、周りの人はいい迷惑だと思います。でも、自分の感情を押し殺して周りに気を使うことで、他人から、ウソっぽいイイ人と誤解を受けることはないし、そういう薄っぺらな人間関係も作らなくて済むので、悪いなあ、と思いつつも、そんな裸ん坊な自分をいつまでも守らせてもらっているのです。

そんな我がままなぼくにも友達はいます。数えれば片手で足りるか余るかですが、胸を張って友と呼べる人はいます。そして、心の支えとする人もいます。ひそかな思いですが好きな人もいます。そういう人たちは、ぼくにとってかけがえのない光であり、宝物でもあります。人間は孤独に耐えられない動物と云いますが、その孤独とはどういうものなんだろうと考えることがあります。幸いにもぼくは耐えられないくらいの孤独感を味わったことがないからです。どんなにひとりぼっちになろうとも、いつもそばに誰かがいてくれたからです。思うに孤独って死よりもずっと先にあるもののように感じます。ぼくは孤独がこわいです。だから、今日も精いっぱい裸ん坊な自分で人と接しているのです。ぼくは毎日、笑ったり、泣いたり、怒ったりと忙しいです。

51

何よりも初々しさが大切だと思ってきました。何よりもウソのない笑顔が大切だと思ってきました。人に対しても世の中に対しても。お金を中心にした社会に生きる大人にはなりたくありませんでした。そこだけに自分の大きさを知る大人にだけはなりたくありませんでした。下手くそでも、どぎまぎしたっていい。ぎこちなくてもいい。なめらかでなくてもいい。傷つきやすくても頼りなくてもいい。メダルなんていらないよ。競いあうことを生き甲斐にはしないから。一度信じたことは絶対あきらめない。一人になろうとあきらめない。そうやって生き続けて、手や足が動かなくなって、目や耳が役に立たなくなっても、いつも本当のことを初々しく感じることができる自分でいられたら幸せだと思うのです。ぼくらの瞳には言葉やカタチにならないものがたくさん映ります。そういうものを一つひとつ大切にして生きることだけでも、幸せになれるということを自分で確かめたいのです。

52

一年間という約束で、毎週一枚書かせていただいたエッセイ『くちぶえサンドイッチ』でしたが、あっという間に、その一年が経ち、終わることになりました。みなさんには、今まで雨の日も風の日も、この小さな一枚を手にするためにお立ち寄りいただいたことに、心から感謝いたします。ありがとう。ここで書いたものはポケットの中に入る小さなハナシばかりであり、毎日、ぼくのポケットにあったものばかりでした。いらいらしたり、喜んだり、泣いたりしながら書いたものもあります。今日を存分に感じたい。今日を忘れたくない。今日を宝物にしたい。そういう思いが明日を与えてくれると信じて書いてきました。本当の自由とはなんだろうと思いながら書いてきました。

ぼくにとって書くことは生きることでもあります。これからもきっとどこかでみなさんには会えると信じて、今日を丁寧に生きていきたいと思います。

あとがきの歌

最初のエッセイ集『本業失格』を出版してから三年が経ちました。その三年という歳月、ぼくは自分なりの文章を様々な雑誌や媒体で書いてきました。今日その書きためた文章を一冊にまとめてみようと思い、一つひとつを拡げてみたら、その多さに随分書いたなあと我ながら感心しました。しかし同時に、読み直してみると稚拙な文体と内容に恥ずかしいやら面目ない気持ちで仕方がありません。この文章たちは果たしてまとまるのだろうか。いやそれよりも仰々しく本にする意味はあるのだろうか。正直そういう思いで胸がいっぱいでした。ですので、やっとカタチになった今、編集を手掛けてくれた藤明君の熱意とその仕事に感謝せざるをえません。結果三年間で書いた文章の三分の一に量は絞り込まれ、いくつかの書き下ろしを加え、なんとかまとまりました。装丁とデザインは『本業失格』と同様、美術作家の立花文穂さんにお願いしました。立花さんに自分の本を手掛けてもらえることは光栄というより夢のようなことです。おかげでこの本は立花さんの手仕事に随分助けられていると思います。

タイトルの『くちぶえサンドイッチ』は、二年前に千駄ヶ谷のアフタヌーンティーにて一年間、毎週配布させていただいたエッセイのタイトルをそのまま使いました。普段、本のこと、旅のことを書くことが多いぼくにとって、日々の日常雑記を、くちぶえを吹くような軽い心持ちでこつこつと書き続けた『くちぶえサンドイッチ』はある意味、新しい自分の発見でもあり、とても思い入れの深い仕事でした。また、これをきっかけに、物書きとして自分の何かが変わったように思います。

昨日よりひとつでも新しくありたい、そう思って毎日を過ごしてきました。そして、どんなことでも、常に初々しい気持ちを忘れないようにと思ってきました。自由になんでも書いてみよう。そういう気持ちでペンを持ち、自分の心のなかにある何かを乗り越えようと書き続けました。

この本を家族、両親、友人、先輩諸氏、また仕事を通じて支えてくれているたくさんの人に捧げます。いつもありがとうございます。これからもぼくは文章を書いて生きていこうと思っています。

二〇〇三年

松浦弥太郎

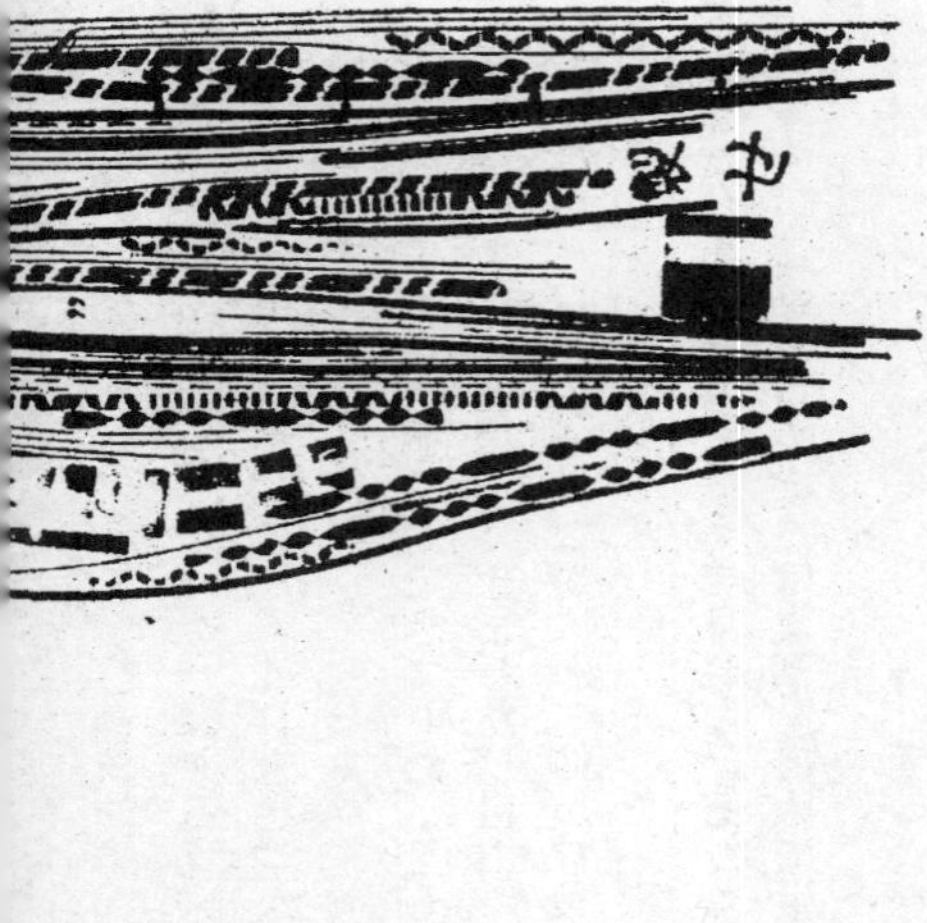

四
お

文庫のためのあとがき

サンフランシスコにはいつも早朝に着く。

眠い目をこすりながら、イミグレーションを通り、ベルトコンベアで運ばれた荷物を受けとり、サンフランシスコ国際空港の外に出た。きらきらしたカリフォルニアの陽が、彼女の顔を美しく照らした。

「まぶしい……」彼女は長いまつげをぱちぱちとさせて、僕の手をとって指をからませた。「晴れてるね……」そう言って彼女は僕を見つめた。

サンフランシスコに着くと、ビートルズの「I WILL」が、いつも胸の少し上あたりから聞こえてくる。はじめてギターを持って旅したサンフランシスコで覚えた曲だ。ありし日の思い出がふっとよみがえる。

タクシー乗り場へと歩きながら「I WILL」をくちぶえで吹いた。

「来れてうれしいな……」横を歩く彼女は青空を仰いでつぶやいた。

タクシーに乗り、行き先のバークレーを運転手に告げた。しかし、バークレーという言葉が通じない。バークリー？　ヴァークリー？　ヴァークレー？　僕は何度も運転手に発音を変えて伝えた。正確な発音はバークリーであるが、一人でない気恥ずかしさで、いわゆる日本語発音で言ったから伝わらないのだ。「そこはどこだ？」と運転手が言ったとき、彼女が一言「バークリィー……？」と小さな声で言ったのが運転手に伝わった。「なんだ、バークリィーか……」運転手は安心した顔を見せてアクセルを踏んで車を走らせた。英語が話せるつもりでいた僕は面目を失った。「よかった……通じたね」彼女は僕の手をとって静かに微笑んだ。

「ホテルはどこだ？」バークレーの町に入ると運転手が聞いた。予約してあるホテルの名と住所を告げると、うん？　と首をかしげた。運転手は「電話番号教えてくれ」と言った。電話番号を告げると、運転手は携帯電話をとり出し、ホテルへ電話して住所を確かめた。「なんか変だぞ。ホテルは営業していないらしい」運転手は言った。そんなはずはない。日本を出発する二日前に電話で予約を確認していたから営業していないなんてありえない。そうこうしている間に、車はホテルに着いた。僕らは運転手に礼を言い、車から荷物を下ろし、ホテルのドアを押して入った。

ホテルはほこりっぽい匂いと、なぜか電気が消えていて、うす暗かった。ロビーには、無雑作に床からはがしたカーペットが丸められて山のように積まれていた。フロントデスクにも誰もいない。やっぱり変だ。呼び鈴を押すと、普段着の若い男が面倒くさそうに現れて、「ホテルは営業していないよ」と言った。「予約をして、電話で確認したのにどうして？」と聞くと、「ここのホテルは破産したのさ。つい二日前」と男は答えた。そこに貼り紙があるから読んでみろと、入り口に張られたＡ４サイズの書類を指差した。

読んでみると、僕が予約の確認をした後すぐに、法的な破産手続きが行われて営業停止になったとわかった。男は用意していたかのように他のホテルの名前と住所が書かれたカードを僕に渡した。住所を見ると、歩いて行ける近さではなく、ちょっとうさん臭い感じのホテルだった。

彼女に事情を説明してホテルを出た。一人旅ならまだしも今回の旅は人を連れている。さて、どうしようかと困った。バークレーの空はそんな事態に関係なく、晴れ渡ってどこまでも青かった。シャタック通りの角で、スーツケースをふたつ置いた日本から訪れた旅人が二人、通勤や通学で賑《にぎ》わうバークレーの町中で取り残されたように立っていた。

僕はここから近い場所にあるホテルを思い出そうと懸命に頭を働かせた。すると、一軒のホテルが頭に浮かんだ。テレグラフ通りの近くにあるデュラントホテル。泊まったことはないが、あの辺りはバークレーで起きたアーツアンドクラフト運動の時代に建てられた、美しい木造建築の教会や住宅が多く、よく散歩していたから知っていた。UCバークレー校の脇のバンクロフト通りを山へ向かって歩き、デュラントホテルへと二人は向かった。

「ほんとに気持ちいい日……」彼女はすでに旅を楽しんでいるかのようにほがらかだった。「少し歩くけど……」そう言うと「大丈夫よ」と答えた。

十五分くらい歩いてやっとホテルに着いた。ロビーの時計を見ると九時をまわっていた。フロントデスクにいた青い目をした若い男性に、予約はしていないが、二人が一週間泊まれる部屋はあるかと聞くと、とても感じのよい態度で空室を探してくれた。パソコンの画面をにらみつけたかと思うとすぐにウインクして「大丈夫です」と言った。「部屋を見て、確認しますか？」と言うので、彼を信用するように首を横に振ると、「三階のエレベーターの横ですが、角部屋で隣の音が気にならない静かな部屋です。陽射しもよく入る明るい部屋ですし、窓からの景色も海までさえぎるものはありません。とてもよい部屋です」と、ていねいに答えてくれた。「ぜひその部屋でお願いします」とチェックインをした。

後ろを振り返ると、彼女はロビーのソファーに身を沈め、にこにこと僕を見つめていた。「大丈夫？」と口を動かしたので、僕はうなずいた。すると、さらに笑顔を見せて、ひと息ついた僕の疲れを吹き飛ばした。

部屋は一週間過ごすには丁度いい広さだった。大きな窓から明るい陽射しがたっぷりと入ってきて、この部屋が、とびきり居心地がいい部屋だとすぐにわかった。荷物を置いた途端、二人してベッドに身を投げてごろんと寝転がった。「ああ、よかった……」思わずそんな言葉が口から出た。「うん、でも、わたしはこんなの全然平気……」彼女は僕に顔を向けて言った。窓にかかったクリーム色のカーテンが、バークレーのやわらかい風に揺れていた。僕は彼女の頰にキスをした。彼女は僕の胸に左手を置いて目をつむった。

「お腹すいたね……」彼女は言った。

「バークレーの朝ごはんは決めてるんだ。『カフェ・インターメッツォ』のサンドイッチ！」そう言うと、「うん、早く行こ！」と彼女はベッドから起き上がった。

ホテルから『カフェ・インターメッツォ』は歩いて五分もかからない。僕らは旅の空腹を癒そうとバークレーの学生街、テレグラフ通りへと繰り出した。二人はまるで子供のように自然と手を握りあった……。


文庫化に際して、表紙に使った写真の解説をしようとペンをとった。旅先のサンフランシスコ、バークレーでの最初の食事はサンドイッチだった。写真にある、焼き立ての茶色いパンにはさまれた新鮮な野菜たっぷりのサンドイッチを僕らはほお張った。サンドイッチの味は鮮明に覚えている。なんだか口の奥のほうにサンドイッチのかけらがまだ残っていて、それをいつまでも飲み込まずに味わっているような不思議な気さえする。僕はきっと、その味をいつまでも失いたくなくて、忘れたくなくて、エッセイや随筆という手段でその情景を記録しているのだと思う。僕にとって文章を書くという行為は、自分を知るための終わることのない旅の歩みかもしれない。僕はいつも旅を終えたくなくて、どこかへ向かって歩き続けていたい。そう考えると、『くちぶえサンドイッチ』は、まさに僕の今でも続く旅日記のよう。遠い土地へ出かけていなくても、目の前にある光景への旅、暮しのなかへの旅、人を愛するという旅……。

僕の旅の日々。その歩み方、迷い方、過ごし方、愛し方が、この『くちぶえサンドイッチ』には克明に書かれている。

文庫になったこの一冊を、日なたに咲く可憐な一輪の花、Rに捧げる。

二〇〇八年　春

松浦弥太郎

解説　世界がどんなに光に満ちた場所かを

角田光代

松浦弥太郎さんのお名前は、ずっと前から知っていたんだけれど、では何をする人か？　ということはよく知らなかった。文章を書いているけれど肩書きが文筆家というのとは違う気がしていた。ただなんとなく、自由で、たのしそうなことをしている大人、というイメージだけがあった。そのイメージを具体化するならば、現代版ＪＪ、ということになる。

ＪＪこと植草甚一の著作には、大学生のころに出合った。植草甚一だって、何をしている人だったのか、そのころの私もわかっていなかったし、今もよくわかっていない。自由で、たのしそうなことをやっている大人、なおかつ、自分がたのしいと思ったこと、すてきだと思ったことを惜しげもなく分け与えてくれる大人、というイメージしか持っていない。それはときには映画であるし、本であるし、音楽であって、またときには、町であるし、その町の歩きかたであるし、眺めかたでもある。大学生の私は、ものすごく物知りで洒脱《しやだつ》な友人をひとり得たような気分で彼の本を読んでいた。

自由で、たのしそうで、いろんなことを知っていて、その知っていることを惜しげもなく教えてくれる、そういう意味では、まさにこの人は現代版植草甚一だと、この『くちぶえサンドイッチ』をはじめて読んだときに思ったことを覚えている。もちろん、それに加え、松浦さんにしかない魅力もこの本にはいっぱい詰まっている。たとえばそのひとつとして、この人の持つ（この人しか持ち得ない）やわらかさ、しなやかさ、というものがある。もっと衒《てら》いなくいうならば、この人の内には女の子魂がある。

本書のなかには、もし著者名を知らずに読んだら、女性が書いていると思いそうになる随筆がいくつかある。たとえば「晴れた日の約束」。たとえば「らしい一日」。たとえば「くるあさごとにくるくるくる」。こんなふうに挙げていったらきりがないのでやめるけれど、この作者のものの見方、感じ方、気持ちのよさを味わわせるものごと、それらは非常に女の子的であって、読んでいるとみずからの女の子魂が刺激され、そうして私などは、はたと、自分にもちゃんと女の子魂があったと気づいてうれしくなるのである。自分の話で恐縮だが、私はたいへんなずぼらで野卑な性質で、おそらく松浦さんとはまるきり正反対のあらくれた生活をしているのだが、それでも、一杯のお茶や、ラスクや、デイジーの押し花や、ボタンダウンや、赤いゴブレットに、わくわくとする。じんわりとする。ああ、いいなあ、と思う。これは私のなかの女の子魂の静かな叫びである。私はちゃんとここにいるのだから無視しないでくれ、何歳になろうが見捨てないでくれ、と叫んでいるのである。この本の言葉に感化され後押しされて叫んでいるのである。

ではこの本が女の子魂一辺倒かというとそんなことはない。ここが松浦弥太郎という人の不思議なところだと思う。女の子魂と同様に、男の子魂もくっきりと存在している。この作者の世界を見る見方、足の踏み出し方、女の子への接し方、愛し方、それらはやっぱり男の子のものだなあと思ってしまう。とはいえ、中性的、というのとは違う。たぶん、作者は、男とか女とか、そうしたものにとらわれていないのだと思う。

「ルールがないルール、優雅なわがまま、というのを日常生活にちょっと取り入れてみる。それが現代社会においてとびきりに爽快だということなのだ」というのは、東洋と西洋のセンスの統合する美学について書かれた随筆「ぶらつき所思」の一節である。作者は、衣食住という暮らしの面だけでなく、精神面においてもこの「ルールがないルール、優雅なわがまま」を体得しているのではないかと想像する。男だから女だからという「ルール」なんて軽々と捨ててしまって、ただ作者は自分を心地よくするものを、「優雅なわがまま」さでもって、集めているのではないか。

美しく暮らす、というのはどういうことなのかを、本書を読んでいると考えてしまう。ここに描かれた日々や瞬間は、いうまでもなく美しい暮らしの一端であり、でも、その美しさとは、お洒落《しゃれ》な服を着ることでも、雑誌に出てくるようなインテリアで部屋を飾ることでも、高級レストランでおいしい料理を食べることでもない。もっとささやかでありながら、もっと重大なことである。

読み手である私たちは、本書の言葉を追うにつれ、ふだん見過ごしがちな美しいちいさなものを多々見ることになる。セーターについたラスクのかすとか窓からさしこむ太陽とか、一輪の花とかだれかを思う気持ちとか。それで、あ、と思う。あ、美しく暮らすということはそんなに難しいことではないのかもしれない、と。明日から私もちゃんと生活しようかな、とすら思う。

しかしそう思わせるのは、松浦弥太郎マジックとでも名づけたくなる力である。本当のところ、美しく暮らすのはたいへんに難しいことだ。なぜなら、私たちは自分が本当に何が好きか知らなければ、好きなものに囲まれる幸福をも手に入れることができないからだ。

この『くちぶえサンドイッチ』が、初夏の風のように心地よく、かつ美しい瞬間がちりばめられているのは、作者が自分の「好き」を知り抜いているからだと思う。単に、なんとなくいいと思うもの、なんとなく気持ちのいいもの、ではなく、はっきりと「好き」なものしか見ない、触れない、という、強靭《きょうじん》な意志がここにはある。「好き」を知るには、途方もない時間がかかる場合もあるだろうし、無駄なこともたくさんあるだろうし、また「好き」と決めたばっかりに背負いこむ苦労や困難も、きっとあるのだろう。でもこの作者は、そんなことは書かない。「好き」ということがどのくらいたいへんなことなのか、そのうしろにどれほどの「嫌い」があるのか、書かない。そんなものは作者にとってきっととるに足らないからだ。「好き」の強烈さに比べたら、まったくちっちゃなことがらだからだ。

多くの人は、何かをいいと言うときに、べつのものの悪いところを言う。この赤い色がいいと説明するときに、こっちの赤だと派手だし、こっちの赤だとくすんで見える、だから私はこの赤がいいのだと説明する。好き、を説明するのは、嫌い、を説明するより難しいからだ。好きなもののことを話しているようでいて、気がつけば嫌いなものについて話していることが、私たちには往々にしてある。でも、作者はそうしない。この本にあるのは、「嫌い」をまったく付随しない純粋な「好き」だ。だから、この本のなかに否定形はまったくないといっていい。あるのはすがすがしい肯定。それはつまるところ、世界への肯定である。

この本にあらわれている美しい暮らし、美しい日々というものは、その肯定の先にある。「好き」を「嫌い」で説明していては、なかなか手に入らない種類の美しさだと、私は思う。こんなふうに何かを好きになれたら、こんなふうに世界を肯定できたらと、読みながら私は幾度も思う。

私はつねづね思っていたことがある。自分でも使う見知った言葉が、この作者に使われることによって今までなかった輝きを見せる、ということだ。たとえば「サンドイッチ」。今まで幾度となく意識せずに使ってきた言葉であるのに、松浦さんが「サンドイッチ」と書くと、それはもう、格別の何かに一瞬にして変化してしまうのだ。これもまさしく松浦弥太郎マジック。この作者の、対象への愛がそうしてしまうのだろう。触れるもの触れるもの金に換えてしまう指を持つ男の話を昔読んだことがあるが、それと同じく、この作者が書いたとたん、その言葉、その光景、その時間、その物質は急に輝きはじめる。それがそこにあることが、奇跡にすら思えるほどの輝きを放つ。

第二章、サンフランシスコの日々が語られている。カフェや本屋や、出会った人たちの随筆である。私はこの章を読んで、今まで興味を覚えたこともないサンフランシスコという場所にいってみたくてたまらなくなった。ハンバーガー屋でアミーゴな店主の作るハンバーガーを食べ、バークレーのブックフェアで本を物色し、ファーマーズマーケットでドライオレンジを買い、シティライツ・ブックストアの二階で本を眺め、セレンディピティでブローティガンに圧倒されたい。ただ街を歩くだけでもいい。なんでもない喫茶店でお茶を飲むだけでもいい。強烈に焦がれるような思いでそう思う。

でも、とふと思う。その地に実際にいったとしたら、この本に描かれている場所よりは、すばらしくはないんだろうな。自分の目で見たり味わったりするカフェも本屋も、ハンバーガーもコーヒーも、松浦さんの言葉が想起させるほどにはすてきではないんだろうな。「えっ、松浦さんの本で読んだほうがぜんぜんいいじゃん」と思うような気がする。でも、本というもののおもしろさは、そういうところにある。松浦さんの言葉は私たちを、実際の旅よりずっと魅惑的な旅に連れ出すのだ。そういうドラスティックな旅は読書でしかできないし、こんなに愛すべきアメリカ旅行にはこの作者しか連れていってくれない。

この本は、さまざまなものへの愛に満ちている。季節への、ちょっとした食べものや飲みものへの、光景への、時間への、恋も友情も愛もひっくるめて人への愛に満ちている。そのなかでも作者がとくに愛しているのが、雑誌や画集も含めた書物だということがよくわかる。この本でも、サリンジャーや庄司薫や沼田元氣やロバート・キャパや吉田健一、いろんな作家やいろんな本がさりげなく、でも深い愛を持って紹介されている。この人にとって本は、知識でも素養でもない、水やごはんのようなものなのだと思う。本書で紹介された本のなかで、読んだことのないものは読みたくてたまらなくなるし（絶版と書かれていると心底がっかりする）、読んだこともあるものは、まったく違う側面から光をあてられたようで、もう一度読みたくなる。サンドイッチやアメリカと同じ、実際の本よりも松浦さんの語る本のありようのほうが数倍かっこよく思えるとしても。

最初に、松浦さんは「いろんなことを知っていて、その知っていることを惜しげもなく教えてくれる」と書いた。この言いかたは正しくないのかもしれない。松浦さんは知識を披露するわけでも、ものごとのたのしみかたを指南するわけでもない。自分がどんなものをどんなふうに愛しているか、微に入り細に入り私たちに話してくれているだけだ。隣に座るような感じで。そして私たちは、世界がどんなに光に満ちた場所かを知っていく。何かを好きになる気持ちを、どんなふうに愛すればいいのかを、今までとはちょっとちがったふうに知っていく。かつてのＪＪがそうであったように、松浦弥太郎さんの著作もまた、自由で洒脱で、性別すらも超越している、たいせつな私の友人である。

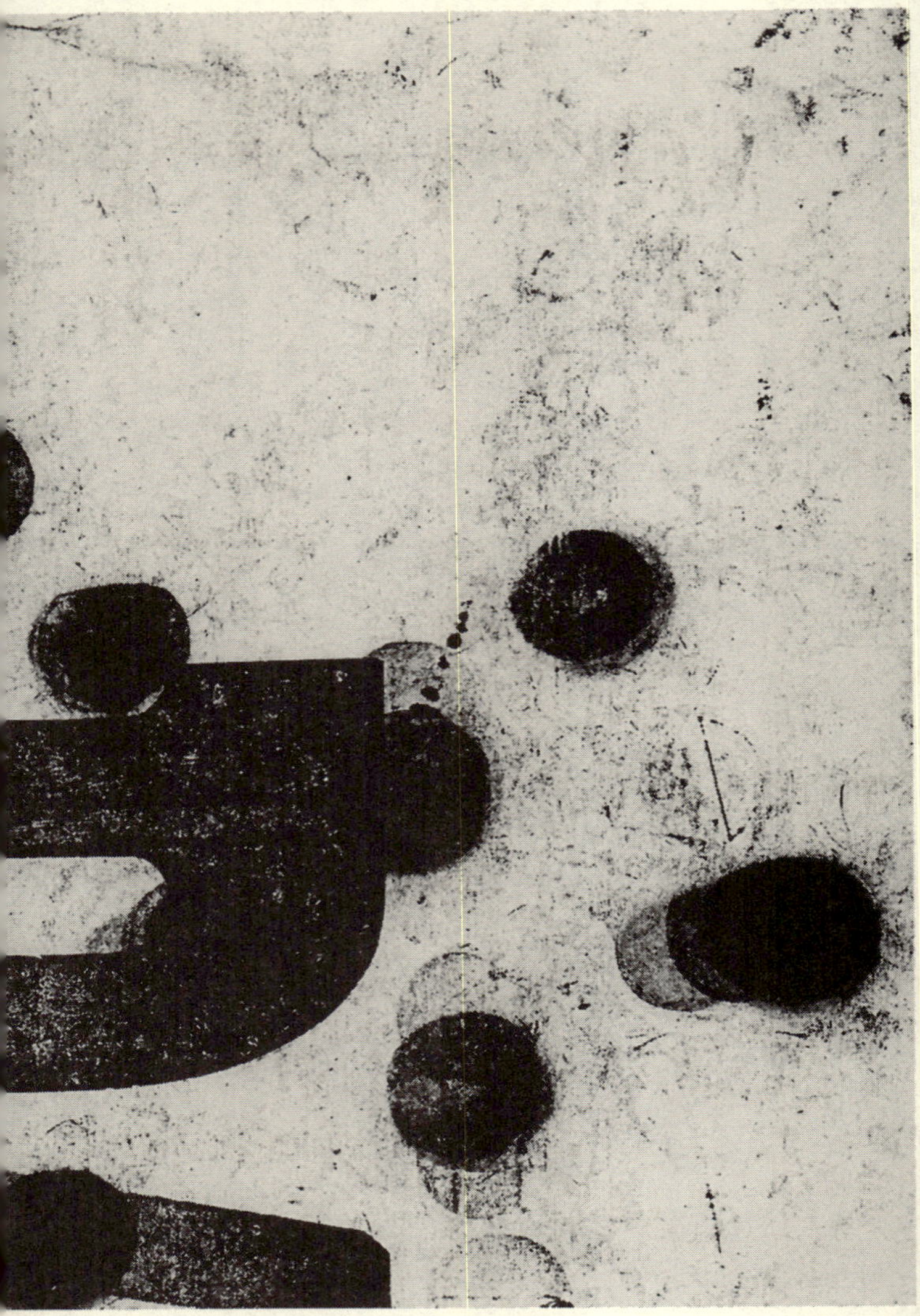

◉本書に収録された作品は、以下の雑誌、印刷物、ウェブサイト等にて掲載されたものです。

『GINZA』／『relax』／『anan』／『Casa BRUTUS』／『BRUTUS』／『装苑』

『SPUR』／『アルネ』／『ELLE donichef』／『Esquire』／『peep paper』

『Pooka』／『Sign Times』／『Afternoon Tea』／『dish』／『SAZABY-catalog』

『STADIUM』／『翼の王国』／『週刊文春』／『dv』／『neko』／『カフェの話。』

『FLYER』／『nilo』／『JUSTA MAGAZINE』／『図書新聞』

『ゾエトロープ［pop］』／『流行通信』

尚、第五章「くちぶえサンドイッチ」はアフタヌーンティー・リビング千駄ヶ谷にて
二〇〇二年一月〜十二月にフリーペーパーとして配布されました。

この作品は二〇〇三年十月、ＤＡＩ－Ｘ出版より刊行されました。

集英社文庫

くちぶえサンドイッチ　松浦《まつうら》弥《や》太郎《たろう》随筆集《ずいひつしゅう》

2008年 4 月25日　第 1 刷　　定価はカバーに表示してあります。

著　者　松浦《まつうら》弥《や》太郎《たろう》
発行者　加藤　潤
発行所　株式会社　集英社
東京都千代田区一ツ橋2-5-10　〒101-8050
電話　03-3230-6095（編集）
03-3230-6393（販売）
03-3230-6080（読者係）

印　刷　株式会社 廣済堂
製　本　株式会社 廣済堂

フォーマットデザイン　アリヤマデザインストア　　マークデザイン　居山浩二

本書の一部あるいは全部を無断で複写複製することは、法律で認められた場合を除き、著作権の侵害となります。

造本には十分注意しておりますが、乱丁・落丁（本のページ順序の間違いや抜け落ち）の場合はお取り替え致します。購入された書店名を明記して小社読者係宛にお送り下さい。送料は小社負担でお取り替え致します。但し、古書店で購入したものについてはお取り替え出来ません。

© Y. Matsuura 2008　Printed in Japan
ISBN978-4-08-746290-6 C0195